En ausencia de Blanca

T0009782

Biblioteca Antonio Muñoz Molina

Antonio Muñoz Molina

En ausencia de Blanca

Seix Barral

Obra editada en colaboración con Editorial Planeta – España

© 1999, Antonio Muñoz Molina
Todos los derechos reservados

© 2009, 2022, Editorial Planeta S.A. – Barcelona, España

© 2023, Editorial Planeta Mexicana, S.A. de C.V.
Bajo el sello editorial BOOKET M.R.
Avenida Presidente Masarik núm. 111,
Piso 2, Polanco V Sección, Miguel Hidalgo
C.P. 11560, Ciudad de México
www.planetadelibros.com.mx

Diseño de portada: Booket / Área Editorial Grupo Planeta
Ilustración de portada: © Benjamin Harte / Arcangel

Primera edición impresa en España en Booket: octubre de 2016
ISBN: 978-84-322-2952-7

Primera edición impresa en México en Booket: julio de 2023
ISBN: 978-607-39-0216-8

Esta edición dispone de recursos pedagógicos en www.planetalector.com

No se permite la reproducción total o parcial de este libro ni su incorporación a un sistema informático, ni su transmisión en cualquier forma o por cualquier medio, sea este electrónico, mecánico, por fotocopia, por grabación u otros métodos, sin el permiso previo y por escrito de los titulares del *copyright.*

La infracción de los derechos mencionados puede ser constitutiva de delito contra la propiedad intelectual (Arts. 229 y siguientes de la Ley Federal de Derechos de Autor y Arts. 424 y siguientes del Código Penal).

Si necesita fotocopiar o escanear algún fragmento de esta obra diríjase al CeMPro (Centro Mexicano de Protección y Fomento de los Derechos de Autor, http://www.cempro.org.mx).

Impreso en los talleres de Impresora Tauro, S.A. de C.V.
Av. Año de Juárez 343, Col. Granjas San Antonio,
Iztapalapa, C.P. 09070 Ciudad de México
Impreso y hecho en México -*Printed and made in Mexico*

Biografía

Antonio Muñoz Molina nació en Úbeda (Jaén) en 1956. Ha reunido sus artículos en volúmenes como *El Robinson urbano* (1984) o *La vida por delante* (2002). Su obra narrativa comprende *Beatus Ille* (1986), *El invierno en Lisboa* (1987), *Beltenebros* (1989), *El jinete polaco* (1991), *Los misterios de Madrid* (1992), *El dueño del secreto* (1994), *Ardor guerrero* (1995), *Plenilunio* (1997), *Carlota Fainberg* (2000), *En ausencia de Blanca* (2001), *Ventanas de Manhattan* (2004), *El viento de la Luna* (2006), *Sefarad* (2001), *La noche de los tiempos* (2009), *Como la sombra que se va* (2014), *Un andar solitario entre la gente* (2018), *Tus pasos en la escalera* (2019), *El miedo de los niños* (2020), *Volver a dónde* (2021), el volumen de relatos *Nada del otro mundo* (2011) y el ensayo *Todo lo que era sólido* (2013). Ha recibido, entre otros, el Premio Príncipe de Asturias de las Letras, el Premio Planeta, el Premio Jerusalén, el Prix Médicis Étranger y fue finalista del Premio Man Booker International con su novela *Como la sombra que se va* en 2018. Desde 1995 es miembro de la Real Academia Española. Vive en Madrid y Lisboa, y está casado con la escritora Elvira Lindo.

En ausencia de Blanca

Capítulo 1

La mujer que no era Blanca vino hacia Mario desde el fondo del pasillo, vestida con la blusa verde de seda, los vaqueros y los zapatos bajos de Blanca, entornando un poco los ojos al acercarse a él y sonreírle, los ojos que tenían el mismo color y la misma forma que los de Blanca pero que no eran de ella, dándole la bienvenida en un tono de voz tan idéntico al de Blanca como si de verdad fuese ella quien le hablaba. Igual que Blanca, se inclinó un poco al besarlo, porque era ligeramente más alta que él, pero en lugar de mantener apretados los labios mientras rozaba los suyos con la rapidez ausente de quien repite un gesto diario y trivial los abrió en busca de la lengua de Mario, tan sorprendido entonces por aquella efusión inesperada que no supo responder a tiempo.

En el aliento de ella y en la suavidad breve y carnosa de los labios le pareció que recobraba la delicia antigua de los primeros besos de Blanca, ahora falsificada, pero también idéntica, de una exactitud sin fallos, o casi, que lo volvía todo mucho más irreal. Agradeció el tacto de las manos largas y suaves que sin embargo no eran las manos de Blanca, el gesto extraño a ella de abrazar su cintura mientras lo guiaba hacia el comedor, como si él, su dueño, desconociera el piso en el que ya vivía antes de encontrarse con Blanca, o como si también el piso fuera un duplicado exacto y falso de algo perdido: el piso, los cuadros del pasillo, los muebles del comedor, que Blanca tanto criticaba, y no sin motivo, porque cuando Mario los compró tenía un gusto lamentable, el mantel bordado por la madre o por la abuela de Mario, la vajilla, los platos en los que humeaba una sopa recién hecha, recién servida por la impostora o la doble casi exacta de Blanca, que la había retirado del fuego al ver desde el balcón que Mario estaba cruzando la calle. (Pero Blanca, la verdadera, la de otro tiempo, tal vez nunca se había asomado al balcón para ver si él llegaba.) Olía mejor que nunca, pensó Mario casi con remordimiento, notando por primera vez no que estaba empezando a rendirse, sino que existía esa posibilidad, comprendiendo con melancolía y alivio que no podría mantener siempre la hostilidad recelosa, la vigilancia intransigente, la desesperada soledad de un espía. A diferencia de Blanca, la mujer que ahora comía frente a él no se limpiaba los labios con la punta de la servilleta después de cada cucharada de sopa, ni alzaba los ojos con reprobación instintiva si él hacía el más leve ruido al ingerir la suya, y tampoco esperó inmóvil y sin decirle nada hasta que él cayera en la cuenta de que le correspondía traer de la cocina la fuente con el segundo plato y los cubiertos de la carne.

Blanca nunca habría encendido un cigarrillo antes de retirar la mesa, y menos aún se habría echado en el sofá a mirar la televisión sin dejar el comedor recogido y la cocina perfectamente limpia: Blanca, de hecho, apenas miraba la televisión, a no ser las noticias o un extraño programa nocturno de imágenes convulsas y ritmos metálicos que se llamaba *Metrópolis,* y en el que una vez apareció un reportaje sobre aquel pintor con el que ella acababa de romper cuando conoció a Mario. Desenvuelta, impostora, vestida con la ropa de Blanca, la blusa de seda que tenía casi el mismo tacto de su piel, los vaqueros tan ceñidos que la hacían más carnal y más alta, descalza ahora, los zapatos bajos de Blanca abandonados a los pies del sofá, la mujer que no era Blanca se recostaba en un ancho cojín de cuero negro y miraba la televisión fumando un cigarrillo, o nada más que sosteniéndolo, tan olvidada de él que si Mario no llega a quitárselo oportunamente y con pulso infalible de los dedos se los habría quemado o habría derramado la ceniza sobre la alfombra, no sin peligro de dañarla. Desconfiado, buscando siempre síntomas de la falsificación, Mario se fijó en sus pies, largos y gráciles, con tenues líneas azules de venas en el empeine, aunque un poco maltratados, pero esta vez le sorprendió que no tuvieran marcas de rozaduras ni asperezas en el talón, y descubrió además, cuando ya apartaba los ojos de ellos, que tenían las uñas pintadas de rojo, cosa que él no había visto nunca en los pies de Blanca. Pero enseguida dudaba, no tenía costumbre de fijarse en ese tipo de matices, la misma Blanca le había reprochado alguna vez que no prestaba atención, que no veía la ropa que se ponía ella o las modificaciones en la decoración —nunca excesivas, pues no les sobraba el dinero— con las que ella intentaba mejorar el aspecto más bien cateto del piso. Lo creía, estaba seguro, Blanca no se había pintado nunca las uñas de los pies: pero esforzaba su memoria para obtener una certeza despejada y era entonces cuando Mario empezaba a dudar, y se desesperaba por dentro, aunque a la vez encontraba delicioso y muy excitante ese color rojo en los pies de Blanca, esa piel ahora más suave, menos dañada por los zapatos, y se acordaba del modo en que la noche anterior, cuando apagaron la luz en el dormitorio, ella se había abrazado a él por detrás y le había frotado contra las piernas sus pies fríos, pidiéndole que se los calentara, con una complicidad física que habría sido más halagadora de no ser por la evidente impostura, por el hecho menos asombroso que amargo de que aquella mujer, idéntica a Blanca, no era ella, no podía ser ella.

Pareció dormitar mientras Mario quitaba la mesa, pero abrió los ojos y se lo quedó mirando fijo en un momento en que él la observaba desde el interior de la cocina. Se daba cuenta de que ahora sólo se atrevía a mirarla con atención e intensidad cuando ella no lo estaba mirando, por una superstición de vigilancia que en realidad le resultaba inútil, y con frecuencia embarazosa, porque aquella mujer lo descubría enseguida, sonriéndole siempre con una especie de fatigada tolerancia: ahora, por ejemplo, mientras fregaba los platos, la había estado mirando desde la cocina, queriendo distinguir si su pecho ascendía y bajaba, creyendo que oía el ritmo calmoso de su respiración entre los ruidos del telediario, confiándose. Poco a poco, sosteniendo entre las manos un paño húmedo del que no se acordaba, había ido aproximándose a la puerta del comedor, y abandonando por lo tanto el ángulo de la cocina en el que ella no podía verlo, con una mezcla absurda de cautela y descuido. Seguramente, a cada paso que daba, su cara iría adquiriendo esa expresión particular de alguien que mira algo creyendo que no es observado. Justo entonces ella abrió los ojos, sin sorpresa alguna, y desde luego sin alarma, como si hubiera escuchado sus pasos o hubiera podido medir su cercanía por el rumor creciente de su respiración. Él nunca estaba seguro de si encontraría a Blanca el próximo minuto, ni de cuál sería su estado de ánimo: Blanca podía adivinarlo todo acerca de él sin necesidad de abrir los ojos, pero esa seguridad ya no parecía que se deslizara hacia el desdén, hacia la negligencia instintiva y tan peligrosa de quien se acostumbra a dar por supuesta la lealtad de un amante.

Los ojos desde los que no miraban las pupilas de Blanca se detuvieron en el paño mojado que él aún sostenía y luego fueron ascendiendo hasta encontrar la mirada huidiza de él y retenerla. Los ojos color avellana de Blanca, el pelo liso y negro de Blanca, las pecas leves de su nariz, el rosa intenso de sus labios, los anillos de Blanca en los mismos dedos donde ella se los ponía, su anillo de casada, que él hubiera querido examinar de cerca para comprobar si la falsificación de todo había sido tan perfecta que tenía grabada la fecha en que se conocieron, no la de la boda, porque los dos estuvieron de acuerdo (aunque la idea fue de Blanca) en que lo digno de conmemorar no es el oficialismo de una ceremonia, sino la rara mezcla de azar y destino del primer encuentro.

Mario se acercó a ella, la vio encogerse en el sofá y luego extender los brazos con indolencia gozosa, el pelo ahora suelto, la cara de somnolencia y siesta apetecida, la camisa casi abierta del todo, mostrando la tela sedosa del sujetador, la dulce hendidura entre los dos pechos apretados que se parecían tanto a los pechos de Blanca, aunque él tampoco sabía ya precisar si la forma y el tono rosado de los pezones eran o no idénticos a los que recordaba. La oyó decir su nombre con la voz de Blanca, más cálida ahora que casi nunca, sin ese punto sutil de lejanía y frialdad que él siempre se había negado a aceptar que existía, igual que se había negado a ver y oír y comprender tantas cosas, tanta mentira ínfima, tanta callada deslealtad. Dio un paso más, dejó el paño sobre la mesa, temió que le quedara en las manos olor a detergente o a grasa, se arrodilló junto al sofá, al lado de la mujer en cuyo aliento percibía matices ajenos al aliento deseado y añorado de Blanca, al sabor jugoso de la boca de Blanca. Lo sorprendió, al inclinarse sobre ella, el regreso de la excitación, la falta inesperada de nostalgia, aunque no de recelo. Pensó que también él aprendía a fingir y quiso justificarse diciéndose, mientras le retiraba el pelo de la cara y le besaba los párpados y le mordía sólo con los labios un lóbulo tal vez ligeramente más carnoso que el de Blanca, que el aprendizaje de la simulación le serviría para descubrir la mentira, nunca para acomodarse a ella. Pero lo cierto es que conforme la iba acariciando y besando y le desabrochaba del todo la camisa verde de seda cerraba con más fuerza los ojos, y así había instantes en los que estaba seguro de acariciar y de besar a Blanca, de reconocerla en la voluntaria oscuridad con una certeza que ni su razón ni sus sentidos podían ya concederle.

Capítulo 2

Mario López casi nunca se quedaba a tomar cañas con los compañeros después del trabajo. No era insociable, en modo alguno, y se preciaba de no llevarse mal con nadie en la oficina, pero cada día, a las tres menos diez, cuando los funcionarios salían de la Diputación Provincial y se dispersaban en grupos rumorosos y ávidos por los bares cercanos, él inventaba una excusa o simplemente decía un adiós enérgico, y apresuraba el paso para llegar cuanto antes a casa, procurando que el momento en el que abría la puerta y llamaba a Blanca no sucediera después de las tres y cinco, las y diez como máximo.

La única codicia que era capaz de concebir en sí mismo era la del tiempo que pasaba con ella: si entregaba diariamente siete horas de su vida a la Administración, si consagraba otras siete al sueño, cualquier descuido en el uso de las diez que aún le quedaban para vivir con Blanca sería un culpable dispendio, una amputación cotidiana de su felicidad. No había perdido la avidez nunca colmada de estar con ella que conoció en los primeros tiempos, cuando pasaban juntos una tarde o iban a cenar y ya no volvían a verse en una o dos semanas, cuando no se atrevía a llamarla a diario por miedo a resultarle pesado.

Los años de matrimonio no habían mitigado el asombro de tenerla regularmente a su lado, horas y días y semanas y meses, un capital de tiempo que nunca había soñado poseer y que si ya llevaba durándole tanto era porque podría ser inagotable. Algunas veces, nada más abrir la puerta del piso, recibía como una bienvenida las señales obvias de su vida doméstica, de la presencia habitual y siempre deseada de Blanca: el olor de un guiso, el ruido de los platos y de los cubiertos que Blanca ya estaba poniendo en la mesa, tal vez la música inicial del telediario, los días en que era excepcionalmente rápido y llegaba a las tres en punto, cuando no había pegas de última hora en la oficina ni encuentros impertinentes en la calle. Pero otras veces abría la puerta y al principio no oía nada ni olía nada, y durante una fracción de segundo, todavía en el vestíbulo, con el llavero en la mano, sufría un acceso infundado pero virulento de pavor: Blanca había tenido que marcharse sin poder avisarle para asistir a su madre moribunda, Blanca había sufrido un accidente en la calle, Blanca lo había abandonado. Pero sólo eran uno o dos segundos: la llamaba y oía su voz muy adentro del piso, tras la puerta cerrada del cuarto de baño, o era simplemente que estaba tan distraída en el estudio, o tan ensimismada en un libro o en una transmisión de Radio Clásica que no había oído la llave. Escuchaba primero el sonido de sus tacones, la veía luego venir desde el fondo del pasillo y tenía la sensación de que Blanca volvía de un sitio muy lejano, de un sótano o una cripta secretos cuya existencia él no conocía y adonde nunca le estaría permitido acompañarla. Sentía lo mismo algunas veces que la llamaba por teléfono a media mañana desde el trabajo: sonaban las primeras señales y Mario ya se sobresaltaba temiendo que ella no estuviera; escuchaba su voz y era la voz de alguien que está solo, perdido en pensamientos o en habitaciones de los que nadie más tiene noticia. Pero es que Blanca tenía una capacidad admirable para sumergirse en sí misma, para desaparecer del todo del mundo exterior mientras leía un libro, escuchaba una música o veía una película. Era una concentración absoluta, en la que Mario había aprendido a no interferirse, la prueba de una sensibilidad que le maravillaba y que al mismo tiempo lc hacía sentirse romo por comparación, íntimamente desertado, algunas veces, cuando hubiera querido contarle o preguntarle algo a Blanca y sabía que no valía la pena el esfuerzo, no porque ella no le hiciera caso, sino porque literalmente no estaba, estaba ida, como se decía antiguamente, en el sentido más exacto de la palabra, ida de una realidad que con tanta frecuencia le provocaba aburrimiento o disgusto.

En la oficina, los compañeros le hacían bromas a Mario sobre su prisa por volver a casa. O Blanca le tenía en un puño, especulaban, o era que no podían pasar el uno sin el otro, y que al cabo de varios años de matrimonio aún se comportaban como recién casados. Esto último enorgullecía secretamente a Mario, pues lo consideraba cierto, y si no secundaba las bromas ni las sugerencias sexuales que sus compañeros iniciaban era por un escrúpulo sagrado de pudor. Su vida con Blanca era demasiado valiosa como para permitir la intrusión o los comentarios de nadie, ni siquiera de los amigos más próximos, amigos de los que en realidad él carecía. El lenguaje sexual que se escuchaba en la oficina cuando no había ninguna mujer presente, y peor aún, el de las conversaciones en el bar a la hora de las cañas, era de una grosería que Mario consideraba cuartelaria, de una brutalidad ofensiva siempre para las mujeres, sobre todo aquella que a él le importaba más, la suya.

Éste era otro de los motivos por los que raramente se quedaba a tomar cañas después del trabajo: permanecía callado, lo que en ciertas conversaciones era muy embarazoso, no sabía mostrar interés hacia las historias de adulterios que contaban los otros, no se unía a las quejas comunes y rituales sobre la vida matrimonial, no tenía ninguna gracia contando chistes, le molestaba el humo de los cigarrillos, lo mareaban la cerveza y las discusiones políticas, se aburría. Las veces en que no le quedaba más remedio que agregarse a las celebraciones comunes —en vísperas de Navidad, o cuando era el cumpleaños de algún superior y éste los invitaba a unas raciones— pasaba el rato mirando de soslayo el reloj, intentaba reír casi tan sonoramente como los otros, se extenuaba escuchando historias en las que no tenía interés alguno y chistes verdes que ya eran viejos en su adolescencia, y cuando ya había pasado lo que él consideraba un tiempo prudencial y se había bebido un par de cervezas, o de vasos de vino, inventaba un pretexto urgente y abandonaba la reunión, no sin que alguien hiciera un comentario jocoso, y ya habitual, sobre su prisa por volver a casa, por fichar a su hora, le decían, con más puntualidad aún que en la oficina.

A Mario le daba igual. Respiraba con alivio el aire de la calle y caminaba hacia su casa con ligereza y alegría, aunque más bien exhausto, como si hubiera necesitado toda su energía para desprenderse de un organismo pegajoso. Qué pérdida de tiempo, no estar siempre con ella, tenerla cerca y poder mirarla, aunque ella estuviera en sus cosas, qué desierto insoportable sería el trabajo en la Diputación y la vida en Jaén si ella no existiera, si no se hubiera enamorado de Mario y contra todo pronóstico hubiera decidido casarse con él, en uno de esos arrebatos que eran la parte más atractiva de su carácter, y también la más temible a veces.

Blanca solía decir que llevaban una vida de la que estaban ausentes las grandes experiencias, y en eso él le daba la razón, pero también pensaba, en sus días mejores, cuando volvía a casa unos minutos antes de las tres y no se había llevado ningún disgusto en el trabajo, que para él no había mayor experiencia que la de ir caminando por las calles de siempre y saber que, a diferencia de todos los hombres que pasaban a su lado, los que bebían en los bares y hablaban de fútbol con cigarrillos en la boca, los que se volvían con ademanes hambrientos al paso de una mujer, él tenía el privilegio de desear por encima de todas las mujeres a aquella con la que se había casado y la seguridad absoluta de que cuando abriera la puerta de su casa iba a encontrarse con ella.

Era verdad que vivían en Jaén, que no es precisamente el centro del mundo en lo que a actividades culturales se refiere, y que ninguno de los dos tenía un trabajo excitante —Blanca, de hecho, pasaba temporadas enteras sin trabajo—, pero a Mario esas limitaciones le importaban menos de lo que él mismo decía, y en cualquier caso eran compensadas por una serie de circunstancias favorables que a su juicio sería insensato despreciar: tenían un buen piso, un séptimo con terraza en el Gran Eje, comprado por Mario a un precio excelente cuando aún no arreciaba la fiebre especuladora de los últimos ochenta; en tiempos de inseguridades y de crisis Mario disfrutaba de una plaza en propiedad y un sueldo que si no era cuantioso nunca les faltaba a fin de mes, así como un horario, de ocho a tres, que le permitía hacer otros trabajos por las tardes, aunque él no era amigo de salir de casa, y albergaba el propósito de matricularse alguna vez en la universidad: era delineante pero no renunciaba a convertirse en arquitecto, o más bien no renunciaba Blanca, ya que a él la carrera que más le gustaba era la de aparejador, ahora llamada Arquitectura Técnica, término este preferido por Blanca. Algunas veces, cuando estaban con amigos de ella, Blanca decía alguna vaguedad sobre el oficio al que se dedicaba su marido. Eludía usar la palabra *delineante,* pero la que ya no soportaba pronunciar nunca era *funcionario.* Para referirse a las personas que más detestaba, las rutinarias, las monótonas, las incapaces de cualquier rasgo de imaginación, decía:

—Son funcionarios mentales.

No faltaba mucho para que Mario López se preguntara tristemente si no habría ingresado él en la categoría funesta de los funcionarios mentales, si no habría sido incluido por Blanca en la muchedumbre de los vulgares, de los acomodados, de los embotados por la rutina conyugal y laboral.

Días antes de que eso ocurriera, un lunes de junio, llegó a casa a las tres y dos minutos —había tardado exactamente doce desde que fichó la salida en la oficina, y durante su caminata habitual había disfrutado de un viento saludable, salobre, casi marítimo, con olor a lluvia, excepcional para aquellas fechas y en esa ciudad tan seca, un viento que sacudía las lonas de los toldos y daba ganas de vivir— y nada más abrir la puerta notó con gratitud y júbilo los olores cotidianos de su casa, el de la limpieza, el de los muebles encerados, el de la comida que acababa de prepararle Blanca.

Seis años después de conocerla aún se conmovía cada vez que se acercaba a ella. Al mismo tiempo que la llamaba por segunda vez la vio venir desde las habitaciones del fondo. Supo instantáneamente que se encontraba de buen humor y que en el momento de besarse le ofrecería la boca, cosa que no ocurría siempre. Dejó en el suelo la cartera para poder abrazarla y al mirar tan de cerca sus facciones admirables se acordó de una de sus raras discusiones con ella. Blanca, irreflexivamente, en el calor de una disputa que también él había alentado, y de la que pasó semanas arrepintiéndose con obstinada amargura, lo acusó de conformarse con demasiado poco, de carecer, le dijo, «de la más mínima ambición». Mario, sereno de pronto, le contestó que ella, Blanca, era su máxima ambición, y que al tenerla consigo ya no sabía ni quería ambicionar nada más. Lo miró muy seria, ladeó la cabeza, se le humedecieron los ojos, dio un paso hacia él y cayeron cada uno en los brazos del otro, y luego en el sofá, besándose con el aliento entrecortado mientras se buscaban la piel debajo de la ropa, procurando no oír la televisión, donde sonaba a todo volumen la música de un noticiario.

Capítulo 3

También ahora estaban dando las noticias cuando ellos empezaron a comer: Mario había llegado tan pronto que aún duraba la información nacional. Paladeó con entusiasmo la *vichyssoise,* que era una de las recetas que mejor le salía a Blanca, y al hacerlo ella se lo quedó mirando con la cuchara suspendida junto a la boca, en un gesto que no se sabía si era de condescendencia o de censura. Él temió haber sorbido ruidosamente, y la siguiente cucharada ya la tomó con una contención absoluta, presionando en silencio los labios, tragando con sigilo y limpiándose inmediatamente después la boca con el filo de la servilleta.

Blanca era una comensal impecable: siempre mantenía la espalda recta y se quitaba la servilleta del regazo antes de levantarse, y en el modo en que pelaba con cuchillo y tenedor una naranja o un caqui había una perfección que para Mario, antiguo monaguillo, tenía algo de litúrgica, y que revivía en él su antiguo complejo de inferioridad social. Mario pelaba las naranjas con la mano, hincando primero en la cáscara la uña del pulgar, y cuando una salsa o el aliño de una ensalada le gustaban mucho tenía que contenerse para no mojar sopas de pan.

Se acordaba perfectamente de la primera vez en su vida que intentó manejar un tenedor y un cuchillo, incluso que tuvo noticia de que los dos se usaran juntos para comer. (En casa de sus padres casi siempre se comía con cuchara, y las tajadas de conejo del arroz de los domingos solían cogerse con las manos.) Fue en la cantina de la antigua estación de autobuses de Jaén, en un viaje que había hecho desde el pueblo con su padre, por motivos de médicos o de papeleos. A Mario, de niño, Jaén le daba mucho miedo, le traía un peligro y un olor de enfermedad, o de oficina sórdida donde funcionarios hostiles les hacían esperar a él y a su padre, que al hablar con ellos, siendo normalmente un hombre tan enérgico, bajaba el tono de voz e inclinaba la cabeza hacia el suelo. Estaban los dos en la barra de la cantina, cada uno sentado en un taburete, y les pusieron un plato combinado que a él le pareció el colmo del lujo, dos huevos fritos con patatas y una chuleta de cerdo. Partió un trozo de pan con las manos y empezó a mojarlo en el huevo, y después quiso comerse el filete como se comían durante los almuerzos del campo las tiras asadas de tocino: extendido sobre el pan, y cortándolo con el cuchillo. Pero su padre le dijo que estaban en la capital, y en un sitio fino, y que se fijara en que todas las personas comían usando el cuchillo y el tenedor: si quería estudiar, añadió con algo de sorna, bien podía ir empezando ya a refinarse, a imitar los modales de los señores. Mario, que desde niño enrojecía enseguida, notó que la sensación de ridículo le quemaba en la cara, y bajo la mirada burlona de su padre, fijándose de soslayo en otro comensal que estaba junto a ellos, intentó averiguar qué mano era la del tenedor y cuál la del cuchillo, pero no acertó ni a cortar un trozo de filete, y cuando quiso llevarse a la boca un poco de huevo que había atrapado con el tenedor acabó manchándose los pantalones que su madre le ponía para las fiestas de guardar y los viajes.

Qué vida tan oscura había tenido, pensaba, para que la cantina de la estación de autobuses de Jaén le hubiera parecido un sitio de lujo. Le explicaba estas cosas a Blanca y ella se echaba a reír, no sabía él si enternecida por la rudeza áspera del pasado de Mario, tan distinta de su propia infancia, o simplemente asombrada de la existencia de un modo de vida pintoresco, en el fondo ridículo para el civilizado que se interesa por sus peculiaridades. Y lo curioso era que Blanca fuese más de izquierdas que él, teniendo el origen social que tenía y sabiendo tan poco sobre la vida real de los pobres y de los trabajadores. En 1986, el referéndum sobre el ingreso de España en la OTAN había dado motivo a una de las pocas discusiones verdaderamente ásperas que habían tenido desde que se conocieron: a Mario le pareció prudente y razonable votar que sí; Blanca llevaba en la solapa una insignia con un gran NO, recogía firmas, asistía a mítines, participaba en manifestaciones junto a gente de una catadura política que Mario consideraba detestable, extremistas de izquierda que defendían al mismo tiempo el pacifismo y el desarme y los atentados terroristas en el norte. Al verla tan triste, tan desalentada, la noche en que se supieron los resultados, Mario no fue capaz de alegrarse de que hubiera ganado la posición que él defendía. Se sintió culpable: hasta se sintió también un poco reaccionario.

Mientras tomaban la *vichyssoise* Blanca había empezado a explicarle a Mario algo sobre un proyecto cultural en el que era posible que le ofreciesen un trabajo menor —como traductora, tal vez, o como figurinista— pero él no estaba haciéndole mucho caso, aunque fingía un interés absorbente: lo que le interesaba, lo que lo mantenía absorto, no eran las vagas esperanzas laborales de Blanca, que tantas veces acababan en nada, sino su presencia milagrosa y diaria, el sonido ligeramente nasal de su voz, la manera en que se movían sus labios, la atención tan concentrada y tan grave con que sus ojos estaban detenidos en él mientras le hablaba de alguien al parecer muy célebre que acababa de llegar a la ciudad y al que muy pronto tendrían ocasión de conocer los dos: el nombre, Lluís Onésimo, le pareció familiar a Mario, pero no quiso hacer preguntas más detalladas por miedo a resultar ignorante, y además oyó algo en la televisión que lo distrajo por completo, o que más bien lo puso en guardia.

El locutor del telediario hablaba de una exposición de Frida Kahlo que acababa de inaugurarse en Madrid. Días antes, al leer en el periódico la noticia anticipada de la exposición, Blanca se había empeñado fervorosamente en que los dos debían viajar a Madrid para verla: una ocasión única, una antológica que no volvería a repetirse en sus vidas. Con pesadumbre, con remordimiento, él le recordó que se acercaban a fin de mes, y que el gasto del viaje, el hotel, los restaurantes de Madrid, les romperían el presupuesto. La exposición sin duda duraría varios meses, le dijo para conformarla, aun sabiendo que era inútil, y además sería mucho mejor que esperaran a las vacaciones, porque en esa época del año era cuando había más trabajo en la oficina, y de lo que él tenía ganas cuando llegaba el viernes por la tarde era de quedarse en casa descansando, no de emprender un viaje agotador a Madrid, volviendo el domingo, como había ocurrido otras veces, en el exprés nocturno, que llegaba a Jaén a las siete de la mañana del lunes, yéndose a la oficina directamente desde la estación, sin tiempo para darse una ducha.

Blanca no dijo nada, bajó la cabeza, en cuanto terminaron de comer y recogieron la mesa se encerró en su cuarto, aunque no tenía una cara muy seria, tan sólo un aire ensimismado de decepción que Mario había aprendido a reconocer en un ligero pliegue que se le formaba en un lado de la boca al sonreír sin ganas, tan sólo por educación, o por cortesía hacia él, o ni siquiera eso, como un signo para indicarle que la dejara en paz, que no valía la pena discutir, ni decir nada.

Culpable, avergonzado, temiendo perderla, Mario llamó suavemente a la puerta y al no oír más que la música de la radio abrió con cautela y vio que Blanca estaba tendida en el sofá, a oscuras, en la pequeña habitación calurosa donde se refugiaba, aunque daba a un patio de luces y a los tendederos de las cocinas, y llegaban siempre a ella las voces del vecindario, los ruidos de los televisores y los gritos de los niños, y Blanca no conseguía concentrarse. Tenía un escritorio antiguo, regalo de su madre, con cajones diminutos que cerraban con llave, y que muchas veces él hubiera querido poder abrir. Siempre estaban allí alineados los lápices y las plumas de Blanca, los tinteros con la tinta sepia, sus cuadernos, en los que tomaba notas, copiaba poemas o frases y pegaba recortes, su papel de cartas y sus sobres de color lila, con su nombre impreso, el nombre que a Mario le daba felicidad sólo con verlo escrito.

Se sentó junto a ella en el filo del sofá, le pasó la mano por el pelo liso, por los pómulos mojados de llanto silencioso, le pidió perdón, se confesó un egoísta, le dijo que si ella quería ese mismo fin de semana viajarían a Madrid. Blanca le pidió en voz baja que la dejara sola, se disculpó ella también, achacando su abatimiento, su estado de nervios, al calor tremendo que ya empezaba a hacer en la ciudad, y a la circunstancia siempre desagradable de que acababa de venirle la regla. Se incorporó, despeinada, y Mario pensó con tristeza y miedo que tenía la misma cara ausente y demacrada que en los primeros tiempos, cuando él ya estaba enamorado de ella y no podía imaginar que Blanca le prestara alguna vez la atención necesaria no ya para corresponderle, sino para advertir plenamente su presencia.

Veinticuatro horas después, cuando ya creía pasada la crisis, Mario, de espaldas al televisor, ingiriendo en silencio una cucharada exquisita de *vichyssoise,* espió la cara de Blanca en espera de los signos de entusiasmo y ulterior amargura que el nombre de Frida Kahlo despertaría en ella: vería alguno de sus cuadros en la pantalla, uno de aquellos autorretratos que Mario, en secreto, consideraba abominables, se lamentaría de no vivir en Madrid, de no tener tiempo ni dinero para viajar a donde le apeteciera, hasta era probable que ya no siguiera comiendo, o que dejara de hablarle, retirada al silencio como a una habitación que para él sería siempre inaccesible, escribiendo durante horas en alguno de aquellos cuadernos que guardaba bajo llave.

Dos o tres veces se repitió el nombre de Frida Kahlo, y cada vez Mario temió la reacción inevitable de Blanca, como quien ve un relámpago y aguarda y cuenta los segundos que tarda en sonar el trueno. Pero el locutor pasó a dar una noticia de deportes, y Blanca siguió hablándole de un posible trabajo que él no acababa de entender en qué consistía, pero que la animó calurosamente a perseguir: si hubiera prestado un poco más de atención, si no le hubiera traicionado su propia vigilancia obsesiva, que no le dejó darse cuenta del nuevo peligro, del nuevo nombre que empezaba a repetirse en las conversaciones de ella.

Pensaba, pero no era capaz de decírselo, que lo que Blanca necesitaba era preparar unas oposiciones de algo y conseguir una plaza fija, dedicarse a una tarea continua y tangible, que la sacara de sus ensoñaciones, o que al menos le ofreciera un anclaje sólido en la realidad. Tal vez que no hubiera hecho caso a la noticia sobre la exposición de Frida Kahlo era un buen signo: ojalá cambiara, pero no mucho, sólo un poco, lo justo para no enclaustrarse con tanta frecuencia en el silencio y para no rechazar con hostilidad tajante la idea de tener un hijo. «No creo que tengamos derecho a traer a nadie a este mundo espantoso», decía.

Otros la habrían considerado una mujer inconstante: para Mario, que Blanca hubiera emprendido tantos trabajos diversos y mostrara entusiasmos tan dispares era prueba de su vitalismo, de su audacia, de una instintiva rebeldía que a él le resultaba mucho más admirable porque carecía en gran parte de ella. Con becas siempre ruines, con amargos apuros, sobreviviendo en pensiones a los inviernos tristes del final de la infancia, él había venido a Jaén desde su pueblo, Cabra de Santocristo, para estudiar el bachillerato, que terminó con notas excelentes en los tiempos en que aún había reválidas, y luego, acobardado por la duración y las dificultades de la carrera de aparejador, que era la que de verdad le gustaba, se había hecho delineante. Seis años más joven que él, nacida en otra clase social y criada ya en los tiempos de los televisores en color, los yogures y las vacaciones en la playa, Blanca tenía una idea mucho menos penitenciaria del mundo, pues nadie le había inculcado los dos principios que ensombrecieron la infancia de los varones de la generación y de la clase campesina de Mario: que al nacer habían venido a un valle de lágrimas y que debían ganar el pan con el sudor de la frente.

Blanca pertenecía a una opulenta familia malagueña de abogados, notarios y registradores de la propiedad, pero nunca había querido beneficiarse de las ventajas sociales de su origen, lo cual a Mario le parecía heroico, si bien tampoco aprobaba la vehemencia con que ella solía hacer escarnio de todos sus parientes, empezando por su madre, una viuda amenazadora que usaba pestañas postizas, fumaba Winston extralargo y jamás prestaba atención a nada que no fuese ella misma, pero que más de una vez les había resuelto un apuro con una transferencia bancaria instantánea o un cheque al portador.

La penuria lo vuelve a uno amedrentado y conformista: es la presencia segura del dinero, sospechaba Mario, lo que despierta y alimenta la audacia. Le gustaba mucho leer libros de Historia Contemporánea, y había advertido que casi ningún líder revolucionario era de origen trabajador. Descontando las ayudas excepcionales de su madre, que podían tardar en repetirse años enteros, Blanca vivía del sueldo de Mario y de sus ganancias ocasionales como azafata de congresos, traductora de catálogos o vigilante eventual de exposiciones, pero había crecido con tanta seguridad económica, había adquirido tan instintivamente la certeza de su posición, que no solía sentir ningún miedo hacia el futuro ni comportarse con prudencia, de modo que las dos ocasiones en las que había tenido un contrato formal había abandonado el trabajo al cabo de unos pocos meses: le cansaba la rutina, o no podía soportar a un jefe que se le insinuaba. Para los temperamentos como el suyo, se dijo Mario, un horario fijo era peor que una condena a prisión.

El inconformismo, la impaciencia, también la habían impulsado a comenzar y a abandonar dos carreras universitarias, la de Bellas Artes y la de Filología Inglesa. A punto de cumplir los treinta años, Blanca, a diferencia de la mayor parte de la gente, no había renunciado a nada: quería pintar, quería escribir, quería saberlo todo sobre la ópera italiana o sobre el teatro kabuki o sobre el cine clásico de Hollywood, quería viajar a las ciudades más exóticas, a los países más imaginarios, se le humedecían los ojos viendo *La dama de Shanghai* o escuchando a Jessye Norman, la voz le vibraba cuando leía en el suplemento dominical de *El País* las delicias gastronómicas que servían en los mejores restaurantes de Madrid o de San Sebastián, delicias que por tener nombres italianos o franceses, cuando no vascos, Mario no era capaz de imaginar. De una vez para otra se le olvidaban las variedades de la pasta y el vocabulario de la cocina francesa, de modo que ya era una broma clásica entre ellos que él nunca llegara a recordar qué significaba *gnochi,* o *pesto,* o *carpaccio,* o *maigret* de pato, por no hablar ya de la inaccesible terminología de las cocinas orientales, de las que Blanca fue entusiasta un cierto tiempo —aprendió incluso a manejar los palillos con la misma precisión y soltura que la pala del pescado—, hasta que la desalentó la ausencia de buenos restaurantes chinos o hindúes en Jaén.

Cuando salían a cenar con amigos de Blanca, todos ellos expertos en gastronomía y en marcas de vinos, Mario delegaba gustosamente en ella, pero delante de extraños Blanca no bromeaba sobre la ignorancia culinaria de su marido, incluso le atribuía preferencias que él no sabía que tuviera, pero que le sonaban como halagos: «A Mario lo que le gusta de verdad es una buena *fondue*», o «Mario no cree que el *sushi* que sirven en el japonés de Granada sea de fiar».

Mario se definía a sí mismo como hombre más de cuchara que de tenedor, pero no dejaba de apreciar y de agradecer las sutilezas culinarias de Blanca: las cosas que ella cocinaba tenían un sabor más delicado y más suave, sorprendente, con matices extraños de acidez o dulzor, incluso con tonalidades de color cuya sutileza se parecía a la de los aromas y sabores. Amaba la manera de cocinar de Blanca tan incondicionalmente como el metal de su voz o su forma de vestir, y no estaba seguro de que la presencia de ella junto a él no fuese el principal condimento de platos que de otro modo habría rechazado su paladar tan rústico, educado o estragado indeleblemente por las sopas de fideos, los potajes de garbanzos, lentejas o judías, los duros filetes con patatas, las pescadillas tristísimas de la pensión.

El sabor de las comidas de ella le procuraba una emoción sensitiva de un orden parecido al de los besos de su boca: era la emoción de lo nuevo, de lo que no era del todo suyo, de lo desconocido y lo inaccesible, de todo lo que él no habría sabido jamás que existiera de no haber sido por la presencia y el influjo de Blanca. El dinero, pensaba, no sólo lo educa a uno, y le da un peculiar bronceado a su piel, y le quita el miedo a la incertidumbre: el dinero también lo vuelve a uno cosmopolita, le enseña a manejar idiomas extranjeros y cubiertos exóticos, a desenvolverse sin apocamiento ni apuro entre desconocidos. Él, que nunca estaba seguro de con qué mano se cogía la pala de pescado, se rendía de admiración al ver con qué rapidez y pericia usaba Blanca los palillos en los restaurantes chinos, abriéndolos y cerrándolos como si utilizara un compás, apresando entre ellos unos pocos granos de arroz o un trozo menudo y reluciente de pato lacado con una precisión infalible.

Si enumeraba uno por uno todos los gestos que conocía y atesoraba de ella, Mario no encontraba ninguno que no tuviese como un acabado secreto y cuidadoso de perfección y naturalidad, de tal modo que su amor era en igual medida vigilante y ecuánime: la quería lo mismo por el color de su pelo que por el radicalismo de sus convicciones políticas, aunque éstas le parecieran a veces un poco exacerbadas, por su atractivo sexual que por la forma exquisita con que pelaba una naranja o pronunciaba una frase en inglés, y le importaba tanto de ella el olor de su colonia como la altura intelectual de su conversación. Incluso iba poco a poco logrando que le gustaran casi todos los amigos de Blanca, especialmente los homosexuales, de los que no temía nada. El que no le gustó desde el principio, desde antes de verlo, desde el mismo momento infortunado en que oyó por primera vez su nombre, fue aquel individuo, Lluís Onésimo, dramaturgo o dramaturgista o algo parecido, artista multimedia, hipnotizador, estafador, *metteur en scène,* como él decía, mirando a Blanca como si Mario no existiera, hablando francés con acento valenciano, salpicando su conversación de palabras que muy pronto se agregaron al vocabulario de Blanca y de sus amigos, *stage, mediterráneo, virtual, instalación, performance, mestizaje, multimedia,* palabras que despertarían enseguida en Mario reacciones instintivas de odio semejantes en su virulencia a un salivazo ponzoñoso, a la picadura rápida y letal de un escorpión: salivazo que sólo él, Mario, recibía, picadura ensañada por su resentimiento que sólo era letal para él mismo.

Capítulo 4

Por supuesto que Onésimo no fue el primer moscón en acercarse con seducciones intelectuales a Blanca, el primer parásito de su reverencia incondicional hacia cualquier forma de talento o de arte. Blanca tendía a gastar su admiración como una heredera generosa e insensata que dilapidara su patrimonio repartiéndolo entre timadores y gorrones. Con la excepción de Mario, cuya única habilidad lejanamente plástica era el dibujo lineal, todos los novios anteriores y casi todos los amigos actuales de Blanca cultivaban alguna forma de arte y se mostraban vorazmente interesados en todas las demás, sin exceptuar siquiera la tauromaquia, la peluquería y la canción española. Eran los años ochenta, y en las jerarquías misteriosas de aquella gente, sastres y peluqueros y cantantes de género aflamencado merecían la misma reverencia que los pintores o los escultores, hecho que a Mario al principio le sorprendía, por haber sido educado en el respeto algo miedoso de los pobres hacia el Arte y el Saber, pero que luego fue encontrando gradualmente natural, no sólo porque uno se acostumbra a todo, sino porque al fijarse con más detalle en las obras de aquellos pintores y escultores que Blanca frecuentaba no les supo apreciar mucho más mérito que a un corte de pelo.

Una cautela instintiva y un lacerante complejo de inferioridad le impedían manifestar sus opiniones: y muchas veces lo que le pasaba era que carecía por completo de una opinión, y que le era preciso improvisar una por miedo a que lo tomaran por un simple. Temía equivocarse y temía ofender, pero sobre todo mostrar como una evidencia que no estaba a la altura intelectual de los amigos de Blanca.

El primer novio de su adolescencia había sido un aprendiz de cantautor casi tan joven como ella, con quien volvió a encontrarse después de muchos años, ya casada con Mario, en una Semana de la Canción de Autor que patrocinaba en Jaén la Junta de Andalucía. A Mario le dio celos el modo en que Blanca se abrazó a su antiguo amor cuando al final fueron a saludarlo al camerino, después de una actuación que a él, en secreto, le había parecido lamentable, pero se tranquilizó algo al comprobar que aquel héroe adolescente tantas veces recordado por ella ahora era un melenudo anacrónico y con un principio de calvicie, con un poco de caspa en los hombros de la camiseta que le venía estrecha, con un aire general de aturdimiento y de falta de higiene. Les habló de un disco con letras de poetas de Jaén que iba a producirle el área de Cultura de la Diputación, de una posible gira por Cuba y Nicaragua. Después de aquel día Blanca ya no volvió a mencionarlo, y Mario le tachó imaginariamente el nombre en su lista de posibles enemigos.

En la posterior biografía sentimental de Blanca constaban un fotógrafo, un aspirante a director de cine y un profesor universitario fanático de Puccini y diez años mayor que ella. De su pasado amoroso quedaban como testimonios las pasiones culturales que no había perdido al alejarse de los amantes que se las transmitieron, como estratos sucesivos en un yacimiento arqueológico: Cartier-Bresson, *Turandot,* Eric Rohmer. Las artes plásticas habían entrado en su vida relativamente tarde. Cuando conoció a Mario aún sufría las últimas consecuencias de una relación abrasada y desastrosa con el pintor Jaime Naranjo, llamado Jimmy N. por los más modernos o más babosos de sus incondicionales, *enfant terrible* de la vanguardia local y acaparador de todos los premios oficiales de la provincia.

A lo largo de la última década, la vida sentimental de Blanca se pareció, a juicio de Mario, a la de cualquiera de aquellas mujeres cuyas biografías coleccionaba ella, Misia Sert o Alma Mahler o Lou Andreas von Salomé, sobre alguna de las cuales tenía pensado escribir un ensayo muy largo que siempre estaba en los borradores previos, en aquellos cuadernos que guardaba tan ordenados en su escritorio. Primero en Málaga y en Granada, y luego en Jaén, Blanca se había relacionado apasionadamente —aunque a veces tan sólo en el plano intelectual— con hombres cuya inteligencia y cultura acomplejaban en secreto a Mario cuando la oía hablarle de ellos. No sólo había inspirado deseos: también canciones, poemas, pinturas, incluso, se decía, alguna novela de éxito notable, cuyo manuscrito, dedicado por el autor, guardaba ella en su biblioteca, en un rincón especial, sobre su mesa de trabajo, junto a otros manuscritos, siempre dedicados, de libros de poemas, guiones de cine, colecciones de relatos y hasta partituras de canciones.

En las paredes del salón había dibujos y grabados con dedicatorias a lápiz para ella, así como un poema manuscrito, con tinta roja, verde y amarilla de rotulador, de Rafael Alberti, a quien Blanca, que había conversado con él unas cuantas veces, llamaba simplemente Rafael. En el dormitorio, sobre la cabecera de la cama, colgaba un gran lienzo semiabstracto de Naranjo, pintado un poco antes de su ruptura con Blanca, y justo en la pared de enfrente había un grabado amarillento y nebuloso de Fernando Zóbel que tenía la notable virtud de darle sueño a Mario, cuyas reacciones frente al arte solían ser tan de orden físico como una erupción alérgica: Frida Kahlo, por ejemplo, le provocaba un cosquilleo seboso y peludo en el cielo de la boca, y Antoni Tàpies (que, por fortuna, no era santo de la devoción de Blanca) una mezcla de aburrida tristeza y de ardor de estómago. Fingía un voluntarioso interés, no obstante, y se reprochaba con amargura a sí mismo su falta de sensibilidad, el desorden y la escasez de sus lecturas, la íntima pereza y la resistencia sorda con la que más de una vez se dejó llevar a un concierto, a una película, a un estreno teatral, a una de aquellas exposiciones en las que todo el mundo conocía y saludaba a Blanca y en las que predominaban cuadros como de monigotes o bichitos y jóvenes de ambos sexos vestidos de negro riguroso y aquejados de una palidez fantasmal. En esas ocasiones Mario solía tener la sensación aterradora de encontrarse apresado en una trampa que no cedería nunca, en una situación eterna: conciertos de jazz de vanguardia en los que los músicos parecían retorcer los instrumentos y las notas durante horas sin fin; exposiciones en las que nunca se acababa la ronda de los saludos, de los besos en las dos mejillas (incluso entre hombres), de las copas de champán tibio, de los parabienes y chismes; espectáculos de danza en los que se repetía sin la menor variación una sola frase musical o un determinado ritmo electrónico. En Jaén, para alivio de Mario, no había nunca ópera, pero una vez, en el curso de uno de aquellos viajes de agotadora peregrinación cultural por Madrid (había que verlo todo, que apurar el tiempo del fin de semana), Blanca lo llevó a una función de ópera contemporánea, en un teatro que había sido antes cine de barrio, en una bella plaza popular de Lavapiés en la que a Mario le habría gustado quedarse tomando una cerveza y mirando a la gente. Pero no se atrevió a decírselo a Blanca, y desde luego tampoco le apetecía dejarla sola dentro del teatro, porque el compositor de la ópera era un individuo al que ella había conocido en Granada, y que la había introducido en el dodecafonismo y en la música electrónica: la llamó para invitarla personalmente al estreno, lo cual casi la trastornó de alegría y de impaciencia, y cuando se saludaron en el vestíbulo del teatro (que se llamaba, temiblemente para Mario, Centro de Nuevas Tendencias Escénicas), el tipo, sin el menor escrúpulo, le dio un beso en la boca, y le apretó el culo de manera ostensible, con dos manazas peludas, aunque tenía un aspecto como de predicador cuáquero, pensó Mario, todo de negro, sin corbata, con barba copiosa, aunque sin bigote. Pero lo peor de todo fue la ópera en sí, que no parecía tener comienzo ni final, ni argumento, ni orden, que duraba y duraba sin misericordia eternamente, que parecía que ya iba a acabar y empezaba de nuevo. Al final, derrotado, estragado, con dolor de cabeza, Mario miró el reloj con disimulo mientras se unía hipócritamente a los aplausos del público y descubrió con asombro que aquel tormento inacabable sólo había durado dos horas.

Por fortuna, la vida cultural de Jaén no se caracterizaba por su dinamismo, y podían pasar semanas enteras, sobre todo en verano, sin que se celebrase ningún acontecimiento imprescindible. Pero era justo en esos periodos cuando la melancolía viajera de Blanca más se acentuaba, cuando miraba las páginas culturales del periódico y quería irse a Madrid o a Salzburgo, incluso a la cercana, privilegiada y casi mítica Granada, donde no parecía que la vida intelectual tuviera nunca descanso, donde se estrenaban enseguida todas las películas, algunas en versión original, donde había festivales internacionales de todo, de música clásica, de jazz, de teatro, incluso de tangos.

El bolero y el tango entraron por esa época en las aficiones musicales de Blanca, y empezaron a oírse en algunos de los bares de copas a los que iban los fines de semana, concediéndole a Mario el alivio de un término medio entre el aburrimiento sinfónico de las salas de concierto y los ritmos como de cardiología industrial de los bares nocturnos, donde la música, por llamarla de algún modo, era aún más insoportable que las conversaciones a gritos, el alcohol de garrafa y el humo del tabaco.

Para el vigésimo noveno cumpleaños de Blanca, Mario se reservó una modesta sorpresa: dos cintas de boleros de Moncho, al parecer descatalogadas, que él encontró por casualidad en el expositor de una gasolinera. Fue escuchando una de ellas en el coche, mientras volvía a casa, y como era muy sentimental enseguida le subió del estómago hacia el pecho y la garganta, y luego hacia los lacrimales, una densa marea de congoja sin explicación y de felicidad irremediable, como recordada, como ennoblecida y afirmada de antemano por el paso del tiempo. A solas en el coche, esperando a que se pusiera en verde el semáforo de la Fuente de las Batallas, tenía el corazón reblandecido y los ojos húmedos por la música, y disfrutaba no sólo de su amor por Blanca, sino de la evidencia absoluta de que estaba gozando sin el menor residuo de incertidumbre una emoción estética disfrutada previamente por ella, certificada por ella.

¿Cuántas veces en su vida se había torturado delante de un cuadro, de una película, de un cuarteto de cámara, preguntándose si de verdad le gustaba aquello, si no sería un poco ridículo mover rítmicamente la cabeza o dar golpecitos en el suelo con el pie, si la interrupción que se avecinaba sería la del final y exigiría inmediatos aplausos o tan sólo un breve intermedio, uno de esos intermedios en los que se oyen carraspeos y toses, y en los que a veces un insensato empieza solitariamente a aplaudir y varias docenas de cabezas se vuelven hacia él como queriendo fulminarlo? Pero ahora, en el coche, era innegable que disfrutaba, que se conmovía hasta la médula, que veía escarchados los edificios y los árboles de la avenida al otro lado del parabrisas, y que esa emoción no sólo era verdadera, sino también correcta.

En un rapto de inspiración, detuvo el coche junto a una papelería en la que solía abastecerse de materiales de dibujo y compró papel y cintas de regalo. Cuando llegó a casa Blanca no estaba: en una nota dejada sobre la mesa del comedor le decía que había ido a una entrevista para un cierto puesto de trabajo, que volvería pronto. Si se hubiera fijado entonces; si hubiese advertido repeticiones casuales de nombres, coincidencias que ya iban labrando su desastre, sin que él viera nada, vigilante e inepto, aturdido, ciego ante lo irremediable.

Lo emocionó la pulcra caligrafía de Blanca y la última palabra escrita en la nota: «Besos». Por una vez, se alegró de que ella no estuviera. Cortó el papel de regalo, que era de un negro reluciente y sedoso, envolvió las dos cintas, dobló los ángulos del papel con la habilidad y la precisión de un papirofléxico, calculó la longitud exacta de la cinta dorada que necesitaría para que el nudo final del paquete no quedara ostentoso o vulgar. Movía ensimismadamente las manos bajo la luz de una lámpara, en la habitación diminuta de ella, a la que los dos llamaban el estudio, alisaba el papel, afilaba dobleces con el canto de una uña, deslizaba entre las yemas de los pulgares y los índices la cinta dorada para formar un nudo que pudiera deshacerse con sólo tirar suavemente.

Guardó el paquete en un altillo, con una cierta sensación, para él exótica, de clandestinidad, y esa misma noche, a las doce y un minuto, el primer minuto del cumpleaños de Blanca, no pudo soportar la impaciencia y le entregó el regalo. Tampoco lo torturaba esta vez la sospecha de no haber acertado, de que a Blanca no le gustara el regalo y fingiera por delicadeza una gratitud que no ocultaba del todo la sombra de la decepción. Con qué torpeza intentaba deshacer el nudo dorado del paquete, con qué nerviosismo se enredaba en los dobleces y los picos del papel y acababa desgarrándolo, qué privilegio estar en pie frente a ella y recibir su mirada un instante después de que viese las dos cintas: «Moncho», dijo, con aquel tono de voz que reservaba para el arrobo incondicional, para el maravillado agradecimiento, y que era una de las mejores razones para quererla, porque ennoblecía intensamente cualquier cosa que ella admirase, «Veinte boleros de oro».

Blanca puso inmediatamente una de las cintas, y cuando el primer bolero comenzó a sonar se volvió hacia Mario invitándolo con un gesto a bailar con ella. No bailaron, se quedaron abrazados en el centro de la habitación, oscilando lentamente, sin mover los pies, mientras Moncho cantaba *Llévatela.* Pero nadie se la llevaría, pensó Mario con orgullo y deseo, empujándola con suavidad y determinación hacia el dormitorio, dejándose llevar por ella.

Capítulo 5

Era probable que no hubiese tregua nunca: tendría que pasar cada hora y cada día del resto de su vida conquistándola, seduciéndola, vigilando con astucia y desvelo la aparición de cualquier peligro, de cualquier enemigo. No le importaba, desde luego, lo había sabido prácticamente desde que la conoció, y si se paraba a pensarlo no lo había hecho del todo mal desde entonces. Él no tardó ni dos días en enamorarse de Blanca: que ella empezara poco a poco a corresponderle, que se deslizara, sin darse cuenta ni ella misma, de la simpatía y la gratitud hacia el amor, no fue el resultado del azar, ni de los mecanismos ciegos de la pasión, sino la consecuencia lenta y merecida de la tenacidad de Mario, de su solicitud constante, de su ternura tan incondicional como la de un enfermero. De hecho fue eso, durante algún tiempo, casi al principio, un enfermero asiduo que la cuidó con paciencia y destreza, que le cambió las sábanas empapadas después de alguna noche entera de delirio y de fiebre, que poco a poco le fue devolviendo la fortaleza y el deseo de vivir. «Tú me reconstruiste —le dijo un día Blanca—, como si hubieras encontrado un jarrón de porcelana roto en mil pedazos y hubieras tenido la paciencia y la habilidad de reconstruirlo entero, sin descuidar ni la pieza más pequeña».

Mario, que por encima de la estabilidad no apreciaba casi nada en la vida, venía dedicando los últimos años a descubrir y admirar las inestabilidades de Blanca y al mismo tiempo a combatirlas o atenuarlas, ofrecerle a ella un espacio de referencias seguras en el que pudiera florecer sin desperdicio ni sufrimiento el esplendor de su alma. Con otros hombres, o abandonada a sí misma, Blanca derivaría —de hecho, ya había derivado— hacia un desorden aturdido, doloroso y estéril, a una especie de estupor ante su propio desastre en el que había algo del fatalismo con que un casi alcohólico, aún a tiempo de curarse, capitula ante una copa o una persona poco adicta a la higiene abandona su práctica diaria y acaba viviendo en un muladar.

Cuando Mario la conoció, Blanca bebía seis o siete vodkas diarios, fumaba dos paquetes de Camel y guardaba en el bolso una confusión de kleenex usados, hebras de tabaco, hojas sueltas de papel de fumar, estimulantes y somníferos. La vida con el pintor Naranjo, quien al principio la había deslumbrado con sus actitudes de genio y con la fuerza visual de su pintura, derivó rápidamente, previsiblemente, hacia un tortuoso infierno de abandonos, reconciliaciones, deslealtades y huidas que habría durado años de no ser por la aparición inopinada de Mario.

Se decía, y Mario estaba seguro de que era cierto, que Blanca había tenido una influencia definitiva en los comienzos del éxito de Naranjo (Mario se habría dejado matar antes de llamarlo Jimmy). No sólo lo había alentado, no sólo lo había mejorado y ennoblecido con el influjo benéfico de su admiración: también había usado aquellas mismas influencias familiares de las que renegaba para conseguir compradores a sus cuadros y salas donde exponerlos, y había movilizado a sus amigos de los periódicos y de la radio para que le hicieran entrevistas, con una tenacidad y una desenvoltura de las que Naranjo, por supuesto, carecía, por lo menos entonces, cuando aún fingía ser un artista huraño y maldito, años antes de ganar la Bienal de la Diputación y de convertirse a lo que él mismo llamaba, con ese cínico descaro mercantil que se llamó modernidad en los ochenta, *el bisnes.*

Las energías que Blanca era capaz de invertir en los méritos de otros podían ser inagotables y hasta milagrosas. Tal vez por volcarse tan generosamente en cosas exteriores a ella, pensaba Mario, le faltaba luego el empuje preciso para hacerse a sí misma, para llevar a cabo empeños personales que sólo habrían podido llegar a término por un esfuerzo concentrado de la voluntad. Poseía un don muy raro, el de admirar, y sabía explicar lo que admiraba y las razones por las que lo admiraba con tal convicción que volvía contagioso su entusiasmo.

Cuando encontró a Naranjo, el año 82 o el 83, nadie creía en su pintura, ni siquiera él mismo. Blanca, en cierto modo, lo convenció de que era de verdad un pintor, y de que la indiferencia de los demás hacia su obra respondía no a la mediocridad de los cuadros, como el propio Naranjo había empezado a pensar, sino a la mediocridad del público, a la incurable ignorancia española, a la miseria cultural de las provincias. Fue Blanca quien lo disuadió de la tentación ominosa de presentarse a oposiciones para profesor de Dibujo: también fue ella la responsable de que concursara en la Bienal de la Diputación de Jaén, en la que Naranjo se negaba a participar, no sólo, como él decía, porque le daba asco hacerle el juego al poder, sino sobre todo porque temía la humillación de no ser seleccionado. Sin que él lo supiera —por esa época andaba más bien perdido entre el hachís y la ginebra— Blanca eligió uno de sus cuadros y lo envió a la Bienal, y es posible que también hiciese alguna gestión acerca de un miembro del jurado, quizás aquel mismo profesor universitario que le transmitió su duradera pasión por Puccini. Este punto ella lo negaba, porque la enfurecía, aún mucho tiempo después de estar casada con Mario, que se pusiera en duda el talento de Naranjo, pero en cualquier caso era cierto que hizo todo lo que pudo por empujar la carrera de su amante de entonces, y que a su manera lo consiguió.

También era ella quien no lo dejaba dormirse en las glorias locales y provinciales, porque después de la Bienal de la Diputación ganó el Premio Zabaleta, del Ayuntamiento de Quesada, y al cabo de pocos meses el concurso para el cartel anunciador de las fiestas de Baeza, que fue un escándalo en esa ciudad tan conservadora y supuso una ruptura implacable con los convencionalismos que habían imperado hasta entonces en ese tipo de carteles. En la provincia de Jaén, Naranjo se convirtió en la personificación radical de la vanguardia, pero es muy probable que el éxito lo hubiera malogrado de no haber sido por las apasionadas exigencias de Blanca: no podía conformarse con lo que ya poseía, tenía que dar el salto definitivo e irrumpir en Granada, en Madrid, en toda la anchura del mundo.

Sin darse cuenta, ella misma labraba su propia desgracia, pues fue el contacto con Madrid lo que terminó de trastornar a Naranjo, convirtiéndolo en su caricatura abominable, Jimmy N., que más parecía nombre de *disc-jockey* que de pintor. No siempre podían permitirse que Blanca lo acompañara en sus viajes a la capital, y aunque ella era demasiado generosa como para albergar por principio, como tantas mujeres, la superstición de los celos, pronto advirtió que Naranjo estaba cambiando a una velocidad excesiva, o tal vez mostrándose en su ser verdadero.

Por Jaén corrieron noticias de su triunfo en Madrid, noticias que según se vio más tarde no acababan de llegar a Madrid. También se comentó lo que empezaba a llamarse entonces *su nuevo look:* los jerseys de cuello alto, los pantalones de pana, las sólidas botas de realismo proletario o de expresionismo abstracto americano dieron paso a un vestuario en el que no faltaba el cuero negro y ceñido ni las telas imitación cebra y leopardo. Se afeitó la barba y se rapó las patillas a la altura de las sienes, porque eran tiempos en que las audacias de la modernidad parecían inseparables de ciertas extravagancias en la peluquería, y en los que la elección de un corte de pelo era tan decisiva en la vida de uno como lo había sido diez años antes la de una ideología política. Primero sorprendida, luego estupefacta y por fin anulada por la amargura y el sentimiento de traición, Blanca aún intentó mantenerse a su lado durante un cierto tiempo, dar un sentido noble a las cosas nuevas que le oía decir o hacer como que no se fijaba en sus zapatos de puntera aguda o en su recién adquirida afición a la música disco, a los actos sociales y a la cocaína: pero con respecto a él ya estaba perdiendo aquella disposición suya a aceptar apasionadamente como propias las aficiones de alguien a quien admiraba.

El Naranjo de quien ella se había enamorado era un artista bronco y tímido, reservado hasta la claustrofobia y la misantropía, comunista inquebrantable y amigo del hachís, pero sobre todo del alcohol, ajeno a toda convención social, incluidos el trabajo, la monogamia, la paternidad, los horarios y las modas pictóricas, partidario de terminar algunas noches de parranda bohemia bebiendo copas de anís en los bares de putas; ya que en ese tiempo el inveterado golferío masculino adquirió en ciertos ámbitos intelectuales de provincia un prestigio de afirmación libertaria, de malditismo y disidencia vital. El Jimmy N. que empezó a apuntar tras los primeros viajes a Madrid, el que unos años más tarde resplandecería plenamente en los bares de moda de Jaén, era un divo excéntrico y bastante afeminado, impúdicamente adicto a los halagos de la política o del dinero, vestido como un figurín, pero conservando los rasgos duros y rancios de una cara de pueblo, la sombra oscura de una barba rural en contraste con la reglamentaria y lánguida palidez que exigía la época. Empezó a estar rodeado de una especie de capilla de discípulos jóvenes que constituían un vago grupo artístico o de diseño al que llamaban La Factory. Se daban entre sí apodos femeninos y celebraban y repetían cualquier frase que él dijera, con un aire común de secta idiotizada que a Blanca más de una vez le recordó a una pandilla de

Hare Krishnas: éstos fueron los que empezaron a llamarle Jimmy N. y a imitar sus maneras y su vestuario, aunque a veces parecía que era él quien les imitaba, lo cual, dada su edad, no dejaba de tener una parte de ridículo, dolorosamente visible a los ojos no siempre abiertos de Blanca. Ahora se declaraba fanático de los dibujos animados y de las novedades más banales de la música pop, él, que muy poco tiempo antes se encerraba a pintar cada mañana escuchando jazz a todo volumen, como su héroe Jackson Pollock. En las horas negras de desaliento le había dicho muchas veces a Blanca que prefería quemar sus lienzos o tirarlos a un vertedero antes que humillarse aceptando las exigencias comerciales de las galerías: ahora le gustaba repetir una consigna que muy pronto copiaron y difundieron sus discípulos, y que ni siquiera, descubrió Blanca algún tiempo más tarde, había sido inventada por él: «Hay que espabilar, Blanquita, la vanguardia es el mercado».

Una de las primeras veces que él volvió de Madrid, cuando ya tenía allí un estudio, Blanca, venciendo la cobardía del amor, le pidió que le dijera si había otra mujer. Naranjo, o Jimmy N., juró que no, y se mostró tan dolido por las sospechas de ella que la hizo sentirse injusta, culpable y ruin. De acusadora se convirtió sin darse cuenta en acusada: en vez de pedir explicaciones ahora pedía perdón. Se reconciliaron, sin embargo, y volvieron a pasar una noche de amor casi como las de los viejos tiempos, salvo que ahora contaron con el estímulo de la cocaína, que empezaba a desplazar ya al hachís en la escala cultural del prestigio: excitaba, no adormecía, favorecía una rapidez muy propia de los tiempos, era limpia, sin humo, sin residuos, era instantánea, y además, según decían, excitaba prodigiosamente el deseo sexual y no creaba adicción, no tenía nada que ver ni con la plasta hippy del hachís ni con la sordidez y la roña de la heroína...

Pasaron juntos ese fin de semana y el domingo por la noche Naranjo se marchó en el exprés a Madrid. Unos minutos antes de la salida, cuando ya se despedían, él le guiñó un ojo y le dijo en voz baja que por qué no pasaban juntos al lavabo del tren. Por un instante Blanca pensó, con sorpresa y halago, que él quería echar un polvo apasionado y rápido, temerario, casi imposible en aquella estrechura. Pero lo que hizo Naranjo fue pedirle el espejo que ella llevaba en el bolso, para hacer sobre él un par de rayas de coca, usando su tarjeta de crédito recién adquirida. «Si fuera una Visa Oro estaría todavía más rica», dijo, pasando el dedo índice por el filo de la tarjeta y llevándoselo luego golosamente a los labios, frotándose con él las encías, para apurar hasta el último residuo de coca, sus grandes encías de mozarrón de pueblo, tan difíciles de disimular como la sombra cerrada de la barba o el acento de Jaén que afloraba incólume entre la sarta de palabras de moda, diminutivos femeninos y términos pseudoingleses que hilvanaba en sus amanerados monólogos.

A Mario, cuando Blanca le contaba estas historias, le parecía que hubieran ocurrido en otro mundo, no el mismo que él conocía, en otra ciudad que no podía ser la misma donde vivía él: ni de la fama ni de la existencia de Jimmy Naranjo había tenido noticia jamás, cosa que a Blanca le extrañó mucho, y tampoco había imaginado que en Jaén hubiera gente que tomara cocaína y que tuviera vidas tan desordenadas y bohemias.

Habían acordado que unos días más tarde Blanca se reuniría con Naranjo en Madrid para ayudarle a preparar una ansiada exposición, la primera individual que él celebraba en la capital. Pero ella no tuvo paciencia para esperar hasta el viernes por la noche, que era el día fijado para su viaje. Tomó el exprés veinticuatro horas antes, de modo que el viernes, a las siete y media de una de esas heladas mañanas invernales de Madrid, se bajaba de un taxi y abría la puerta del estudio, un antiguo almacén de productos de droguería en la calle Augusto Figueroa al que Naranjo había llamado enseguida *el loft,* y que no habrían podido alquilar sin uno de los cheques providenciales de la madre de Blanca.

A la luz del amanecer, que entraba por una vasta claraboya, Blanca vio a Naranjo desnudo y arrodillado junto a la cama, en torno a la cual, como cortinajes teatrales, pendían lienzos sin marco y sábanas manchadas de pintura. Al oír la llave Naranjo había levantado la cabeza por encima de las rodillas abiertas de alguien que yacía de través en la cama, un chico muy joven cuya cara Blanca no llegó a distinguir, porque salió corriendo sin dar siquiera un portazo, por miedo a que si volvía los ojos vería de nuevo lo que nunca hubiera deseado ver, lo que ya no podría olvidar.

Capítulo 6

Ella y Mario se conocieron no mucho después. En la dedicatoria de un libro que le regaló para su primer aniversario, Blanca aludió a las circunstancias tristes de aquel tiempo y a su gratitud hacia Mario con unos versos de Rafael Alberti:

Cuando tú apareciste
penaba yo en la entraña más profunda
de una cueva sin aire y sin salida.

Se conocieron, decía ella alguna vez, contra todo pronóstico, en una de las excepcionales ocasiones en que los mundos que cada uno de los dos habitaba llegaron a cruzarse, pues incluso en las pequeñas ciudades, en las capitales tan domésticas como Jaén, la gente, aunque se roce por la calle, vive como en planetas remotos entre sí, e incluso cuando se encuentran es muy difícil que lleguen a verse.

Hizo falta que Mario acudiese una noche a donde nunca iba, a un disco-pub recién inaugurado en la sede de un antiguo convento y llamado Chinatown, con rayos láser, panoplias de pantallas de vídeo y columnas de sonido altas y negras como monolitos que emitían ritmos aplastantes. Hizo falta la despedida de soltero de un jefe de negociado para que Mario, tan atontado por la música, las luces y la multitud que no encontraba a sus compañeros de oficina —lo habían liado, como siempre, lo habían llevado a aquel infierno prácticamente a rastras, después de una cena ya de por sí insufrible—, estuviera a las dos de la mañana sosteniendo un gin-tonic tibio en la barra de metacrilato fluorescente de aquel disco-pub, tratando de oír algo o de decirle algo a una chica que le habían presentado un rato antes y de la que (por culpa del ruido y de la ginebra) ni siquiera estaba seguro de recordar el nombre.

Blanca le dijo luego, cuando contrastaban recuerdos queriendo reordenar los primeros episodios confusos de su pasado común, que a ella le ocurría lo mismo con el nombre de él: pero no sólo, en su caso, por culpa de la música, sino porque en aquellos tiempos el abuso del alcohol, la cocaína y las pastillas y la falta de sueño le habían debilitado la memoria, sobre todo la memoria verbal, de modo que estaba hablando y de pronto le faltaba una palabra, o iba a decir el nombre de alguien y lo había olvidado. Le faltaban palabras, le faltaban horas de su vida, le faltaba a veces un peldaño cuando estaba bajando una escalera y de pronto tenía vértigo y comprendía que no le era posible seguir viviendo así.

Mario no se dio cuenta, pero el vídeo que se estaba proyectando en los monitores era un reportaje sincopado sobre la última exposición de Jimmy N., inaugurada triunfalmente unos días antes en los salones de la Caja de Ahorros, desde los que se rumoreaba que viajaría unas semanas después a Nueva York (de hecho, y con vistas al imprescindible mercado americano, el vídeo estaba hablado en inglés). La Obra Cultural de la Caja no había reparado en gastos al producir el vídeo, en cuya financiación también había intervenido la Consejería de Cultura de la Junta de Andalucía: la música la había compuesto no Santiago Auserón, como se dijo al principio, pero sí un colaborador suyo muy directo; de las imágenes se había encargado un director de spots publicitarios galardonado en varios festivales internacionales.

Por entonces Blanca ya había roto definitivamente con Naranjo dos o tres veces, pero aquella noche, sin poder evitarlo ni juntando todas las fuerzas de su voluntad, había acudido al Chinatown con la esperanza de verlo. Llegó casi temblando, arrepintiéndose de antemano de haber capitulado, y todo el miedo al encuentro con él, que no había podido disipar ni tomándose un trago crudo de vodka, se convirtió en decepción cuando supo que Naranjo acababa de marcharse. La presentación del vídeo había sido todo un éxito, le dijo con afeminado arrobo uno de los discípulos, que se había quedado en el local para vigilar las proyecciones: había estado todo el mundo, lo más *high,* decía, el concejal de Cultura del Ayuntamiento, la delegada provincial de la Junta, el vicepresidente de la Caja de Ahorros, VIPS a tope, cacareaba con aspavientos el pálido y rapado aprendiz de Hare Krishna, con sus ropones negros y sus zapatones negros de gran suela de goma, con las sienes azules de tan afeitadas.

Blanca quiso esforzarse en no alimentar su resentimiento, el rencor mezquino de la postergación, justo cuando Naranjo empezaba a gozar de un triunfo que no habría sido posible sin ella. Pero sabía que a los artistas el éxito tiende a apartarlos de quienes les apoyaron en la oscuridad de sus comienzos. Seguía conservando hacia Naranjo un amor despechado y obsesivo, en el que ni el recuerdo del placer o de la antigua complicidad intelectual tenían ya importancia: era la pura inercia del amor, su indestructible propensión a perdurar por encima de todo, por encima de la razón, de la conveniencia, incluso de los propios deseos de Blanca, quien después de la escena que había presenciado en el estudio de Madrid estaba segura de que ya no podría acostarse nunca con Naranjo. Armándose de valor, dispuesta a comprender, a aceptar, le había preguntado si era que se había enamorado de aquel muchacho. Pero no estaba preparada para la reacción de él: Naranjo se echó a reír, mirándola como si fuera tonta, como volviendo a reprocharle las ingenuidades y las cursilerías de su educación burguesa: qué iba a estar enamorado, le dijo, era un chapero de la calle Almirante.

Ella sabía que no iba a confiar más en él, pero si Naranjo hubiera ido a buscarla y le hubiera hecho una promesa o formulado entre lágrimas un juramento inverosímil —«aquello no fue lo que tú imaginabas»: como si se tratara de su imaginación, y no de sus ojos—, Blanca, tan en contra de su dignidad como de su inteligencia, lo creería, o fingiría creerlo, con tal eficacia que hasta la próxima decepción habría sido capaz de mantenerse engañada a sí misma. Dormía con somníferos, despertaba con estimulantes y se arrastraba a lo largo del día a base de cigarrillos, vodkas y cafés, en una niebla atónita de enervamiento, malestar físico y desolación. Se despertaba a las cinco de la mañana tirada en el sofá frente al televisor encendido y a veces chocaba con los marcos de las puertas o con las esquinas del pasillo, y se daba cuenta entonces de que andaba oscilando, como los borrachos.

Aquella noche, en la barra del Chinatown, apenas reparó en la cara de Mario, y no le habría quedado ninguna huella de su existencia de no ser porque al cabo de una conversación inconexa y prácticamente a gritos —durante la que además no dejó de mirar en torno suyo, por si aparecía Naranjo— empezó a sentirse mal, y pensando que lo que le hacía daño era el calor húmedo de la multitud le dijo a Mario que la disculpara, que iba a tomar un poco de aire fresco y volvería enseguida. Unos minutos después, aburrido de esperarla, agobiado por el ruido y la gente, Mario salió a la calle decidido a marcharse a su casa. La encontró en la acera, doblada entre dos coches, apretándose el vientre con una mano y sosteniéndose el pelo con la otra, vomitando y gimiendo, con un temblor de escalofríos regulares sacudiéndola entera.

Le echó el pelo hacia atrás y le limpió con un pañuelo el sudor copioso y brillante de la cara. Había mucha gente a la puerta del bar, pero nadie parecía reparar en ellos. La condujo hacia un escalón algo apartado y la ayudó a sentarse. Por un momento ella pensó que era Naranjo quien estaba ayudándola, y le echó los brazos al cuello y permaneció abrazada a él y temblando mientras repetía su nombre, desconocido para Mario. Él la apartó con suavidad, no sólo porque le resultaba embarazoso recibir caricias cuyo destinatario era otro, sino también porque el aliento de Blanca no era demasiado agradable: olía ácidamente a alcohol, a nicotina y a vómito.

Al cabo de unos minutos, más tranquila, ella se echó hacia atrás con los ojos cerrados y continuó apretando la mano de Mario. Las suyas, aunque de una suavidad que él encontraba deliciosa, estaban singularmente frías, como reblandecidas. De pronto las uñas se clavaron en la mano de él y Blanca se puso rígida: al buscar algo, seguramente los cigarrillos, acababa de darse cuenta de que había perdido el bolso. Se agitaba como en una de esas situaciones de pánico impotente que sobrevienen en sueños, y enumeraba delirando las cosas que creía perdidas, aunque sin hacer más ademán de buscarlas que tantear en torno suyo a ciegas: las llaves de su casa, el carnet, la tarjeta del cajero automático, el encendedor de plata que le había regalado alguien, otro nombre masculino...

Mario no tardó en encontrar el bolso. Estaba caído en el mismo lugar donde la había visto a ella, junto a la acera, entre los dos coches, salpicado de vómitos. La gente, los bebedores que se arremolinaban a la puerta del bar, habían pasado sobre él sin mirarlo, habían pisado los vómitos con la misma indiferencia, pensó Mario, con que la habrían pisado a ella si no hubiera podido levantarse: confusamente sentía una agresiva hostilidad hacia los pobladores de los bares nocturnos, hacia su manera no sólo de vestir, de hablar, de beber, de sostener en alto las copas y los cigarrillos, una hostilidad, en gran parte, de madrugador hacia los trasnochadores, muy íntimamente arraigada en él desde siempre; heredada tal vez de su padre, que durante toda su vida había estado levantándose antes del amanecer para ir al campo, y que ahora languidecía en una residencia de ancianos de Linares.

De su padre había heredado también una intachable pulcritud: con un kleenex limpió el bolso antes de entregárselo a Blanca. Le temblaron tanto las manos al abrirlo que se le derramaron las cosas y no llegó a encontrar lo que buscaba, los cigarrillos y el mechero: volvió a decir que era un Zippo de plata y la abatió de nuevo el remordimiento de haberlo perdido. Arrodillada en la acera, buscaba con sus dedos largos, torpes y nerviosos, sin reparar en los pies de la gente que pasaba junto a ella, tanteando a ciegas, sin ver tampoco a Mario. Buscaba igual que lo buscaría todo siempre, lo más valioso y lo más trivial, incluso cuando llevara viviendo mucho tiempo con Mario: muy nerviosa, como si los objetos se confabularan entre sí para burlarse de ella, en medio de la anarquía del interior de los cajones, temiendo haber perdido sin remisión justo aquello que más necesitaba, el libro que tenía que leer, las primeras páginas de algo que por fin estaba empezando a escribir, y que al extraviársele la devolvían siempre al mismo punto de partida, a una desalentada confusión de proyectos nunca anclada del todo en la realidad. Encontró por fin un cigarrillo, uno solo, torcido, y se lo puso en los labios mientras continuaba buscando el encendedor, pero fue Mario quien dio con él y le ofreció fuego.

—Si fumas te pondrás peor —le dijo.

—Imposible. Ya no puedo ponerme peor.

—Venga, mujer, tranquila. Te voy a traer un vaso de agua.

—No te vayas —Blanca se aferró a él—. No me dejes sola.

A los dos les habría sorprendido saber que faltaba muy poco para que ya no la dejara sola nunca más. Esa noche la llevó a su casa en un taxi —averiguó la dirección por un sobre que encontró en el bolso, ya que ella dijo que no la recordaba— y al llegar al portal Blanca le pidió que subiera, adhiriéndose a él con la misma angustia que un rato antes, cuando le dio miedo que se fuera a buscar agua. El piso, que aún era en parte el antiguo taller de Jimmy N., le pareció a Mario catastrófico, una mezcla perversa de suciedad y desorden, de sordidez doméstica y escenografía vagamente bohemia, como de esas películas en las que se ven las penurias de los artistas antiguos. Blanca lo recorrió entero, dejando encendidas todas las luces, como si temiera la presencia de alguien, o como si aún tuviera la esperanza de que Naranjo hubiera regresado. En el dormitorio, donde había, como en todas las habitaciones, lienzos arrumbados contra la pared y carteles y periódicos tirados por todas partes, la cama, muy grande, estaba deshecha, y las sábanas francamente sucias, consideró Mario. Sobre la mesa de noche había un cenicero rebosante de colillas, un vaso mediado de agua y un frasco de cápsulas cuya etiqueta examinó Mario no sin inquietud. En la pared, sobre la cama, un gran lienzo sin enmarcar, clavado de cualquier modo con chinchetas y grapas, representaba confusamente algo en lo que Mario tardó en reconocer un cuerpo, y luego un cuerpo femenino desnudo, y una cara que a pesar de los brochazos que la desfiguraban como si se reflejara en aguas turbulentas y sucias era la de Blanca. Por algún motivo lo intimidó encontrarse al mismo tiempo frente a la mujer y frente al cuadro en el que aparecía desnuda, aunque tal desnudez fuese casi irreconocible, debido al estilo de la pintura, que Mario se atrevió a conjeturar de expresionista, o quizás a la incapacidad del pintor para captar correctamente el parecido.

Blanca se sentó en la cama, buscó en el cajón de la mesa de noche, lo cerró de golpe, escarbó en el cenicero hasta lograr un cigarrillo prácticamente intacto: la noche anterior lo debió de apagar apenas encendido. El olor a humo frío y a sábanas muy usadas era nauseabundo. Mario, a quien no le gustaba visitar las casas de los demás, tenía la desagradable sensación de irrumpir en la intimidad de otras personas. Qué derecho tenía él a estar allí, con una mujer desconocida, a las dos de la madrugada, en un dormitorio en el que había señales ostensibles de otra presencia masculina; qué hacía allí si la mujer, Blanca, que ya había empezado a gustarle, parecía haberse olvidado por completo de él: desde el umbral del dormitorio, porque no se atrevía a entrar, la vio hundir la cabeza entre las rodillas, sentada en el filo de la cama, todavía con un hilo de humo ascendiendo a un costado. Notó que temblaba: temió que fuese a vomitar otra vez. Pero ahora la causa del temblor era que estaba llorando, con sacudidas violentas, en silencio, sin gemidos ni lágrimas, tan ajena a Mario como al cigarrillo que tenía entre los dedos. Por miedo a que incendiara las sábanas Mario se aproximó a ella con pudor y cautela, le quitó el cigarrillo y lo apagó con asco en el cenicero. Blanca levantó los ojos y pareció no recordar quién era él. Por momentos la compasión de Mario se iba convirtiendo en ternura. Ahora la veía mucho más guapa que unas horas antes, cuando se la presentaron.

—¿Qué te parece si preparo café? —le dijo, procurando que su voz sonara natural, incluso desenvuelta, la voz de un hombre que sale habitualmente de noche y trata con camaradería a las mujeres y a los artistas. Blanca logró fijar los ojos en él y movió la cabeza en un gesto aproximadamente afirmativo.

En la cocina no había ni un plato, ni una cucharilla, ni una taza que no estuvieran sucias, y que no llevaran al menos una semana en tal estado. El lugar exacto del fregadero era difícil de discernir entre la pila de vajilla inmunda. Cuando logró rescatar la cafetera y se dispuso a lavarla Mario descubrió que el agua corriente estaba cortada. En el frigorífico, por supuesto, no había botellas de agua almacenadas en previsión de las usuales restricciones. Lo único que había en el frigorífico era un envoltorio de margarina rancia y un frasco intacto de mayonesa, así como un tomate enmohecido. A Mario, como a todas las personas muy ordenadas, aquel desastre, aparte de asombrarlo, lo reafirmaba en sus hábitos, casi lo complacía. Fue al dormitorio para decirle a Blanca que no podía preparar café: la encontró dormida, de costado, de cara a la luz de la mesa de noche, las dos manos sujetando la almohada, las piernas juntas y flexionadas sobre el vientre, respirando por la boca abierta, con un brillo de sudor sobre el labio de arriba. Ni siquiera se había quitado los zapatos. Muy cuidadosamente, Mario la descalzó, le fue subiendo el edredón hasta la barbilla, despacio, temiendo despertarla, mirándola dormir con un deleite más intenso porque tenía mucho de furtivo. Pensó dejarle algún mensaje, sobre la mesa de noche o incluso en el espejo del lavabo, según había visto hacer en algunas películas, pero no llevaba consigo papel ni bolígrafo, y en cualquier caso no se le ocurría qué escribir. Estuvo tentado de dejarle una de sus tarjetas de visita, pero se arrepintió a tiempo: habría sido, lo consideró luego, un rasgo entre impertinente y comercial. Se quedó uno o dos minutos más mirando dormir a Blanca, sin saber qué hacer, qué recurso inventar para que no se perdiera el vínculo casual de esa noche. Pero le faltaba experiencia, y también astucia, y de pronto temió, además, que el hombre al que ella había llamado una o dos veces en su delirio, el dueño de las tres o cuatro prendas masculinas que había tiradas por la casa, apareciera de improviso, poniéndolo en una situación equívoca, incluso peligrosa...

El ruido de un ascensor le alteró el corazón. Al acercarse a Blanca para apagar la luz de la mesa de noche le dieron ganas de besarle los labios. Ella abrió los ojos, dormida, se estremeció, repitió el otro nombre. Mario apagó la luz del dormitorio y luego fue apagando la de cada una de las otras habitaciones, con aquel incorregible instinto suyo de ahorro. Eran las tres de la madrugada cuando salió a la calle. Fue caminando hacia su casa, un poco aturdido por la extrañeza de estar despierto y en la calle a esas horas, con un sentimiento de novedad y de halago, como de estar viviendo el borrador de una incierta aventura. Entonces se dio cuenta de que ni siquiera había tenido la precaución de anotar el número de teléfono de Blanca.

Capítulo 7

Pasó el fin de semana preguntándose qué pasos podría dar a continuación, cuál sería la manera más propicia de acercarse otra vez a Blanca. A los veintiocho años, la experiencia sentimental de Mario era sumamente limitada. Hasta los veinticinco tuvo una novia con la que planeaba casarse, pero que lo dejó varios meses antes de la boda, sin duda por aburrimiento, aunque ella pretextara que se había enamorado de otro. A todo el mundo le gusta atribuir motivos nobles a sus actos, y Juli, la novia de Mario, que llevaba siete años ya saliendo con él, debió de pensar que el amor infiel era una justificación más sólida o más prestigiosa que el tedio: habían compartido uno de esos eternos noviazgos de provincias que empiezan al final de la adolescencia y terminan una década después en un matrimonio de antemano letárgico, más próximo, por su inevitabilidad y su inmutabilidad, al reino de la naturaleza que al de los sentimientos y los actos humanos, uno de esos noviazgos en los que el futuro es más invariable que el pasado, no sólo el vestido blanco en la puerta de la iglesia, el piso con muebles nuevos imitación roble, el viaje de novios a Canarias o a Mallorca y el embarazo inmediato, sino también la recóndita y mutua sospecha de estafa, la aburrida amargura de los paseos dominicales, con o sin cochecito infantil, el dulce embrutecimiento familiar, tan semejante al sopor de después de una comida.

Que Juli tuviese la entereza inusitada de romper con Mario, y que inventara una infidelidad inexistente para justificarse, eran indicios del grado de aburrimiento y desilusión en que se habían ido sumergiendo al cabo de los años. Al principio, Mario soportó mal la humillación de haber sido abandonado, y tendió a confundir su despecho con el sufrimiento del amor. Escribió algunas cartas suplicadoras o insultantes, en las que no faltaban lugares comunes dictados por la literatura, reflexionó sobre la inconstancia de las mujeres, rondó algunas tardes el edificio donde estaba la gestoría en la que trabajaba su ex novia, con la novelesca idea de sorprenderla junto a su rival, palabra esta muy utilizada entonces en los seriales sudamericanos de la televisión. También temía el vago oprobio rural de convertirse en un solterón, quedarse mocico viejo, como decía su madre.

Luego, después de las vacaciones de verano, empezó a descubrir que pasaba días enteros sin acordarse de ella, y un poco más tarde cayó en la cuenta de que en realidad nunca la había echado de menos. El piso que había comprado para compartir con ella le parecía ahora un lugar en el que era muy agradable vivir solo: criado de niño en una casa grande e incómoda de pueblo, con olor a cuadra y frío polar en los inviernos, Mario apreciaba y agradecía el agua caliente, los sanitarios impecables, el lujo de la calefacción central. Eligió los muebles a su gusto, aunque con la incomodidad de que los dependientes de las tiendas lo mirasen con cierta cara de sospecha, porque no debía de ser habitual que un hombre solo amueblara una casa, y que lo hiciese con tanto cuidado. Se impuso una apacible austeridad a fin de encarar sin agobios las mensualidades de la hipoteca, se hizo socio de un videoclub y del Círculo de Lectores. Fue entonces cuando recobró la afición escolar a la Historia: compró a plazos la *Historia de España* de Menéndez Pidal y se propuso leerla desde el primer tomo al último (siempre recordaba que iba por los reinados oscuros y tediosos de los visigodos cuando conoció a Blanca). En la Diputación le reconocieron el primer trienio. Empezó a trabajar algunas horas por las tardes en el estudio de aparejadores que acababan de poner unos antiguos compañeros suyos de pensión, con uno de los cuales salió algunas noches de vinos por las tascas del centro, con la confusa idea de emborracharse y de ligar. Pero jamás llegaron a hacer ni una cosa ni la otra, y al cabo de un tiempo, aburridos y decepcionados el uno del otro, dejaron de salir juntos, y a los pocos el compañero de Mario «se puso novio», como dicen en Jaén, con la secretaria del estudio, una chica algo gorda y tan poco apetecible que Mario sintió en secreto algo de lástima por él. Para resignarse tan desganadamente a una mujer así más valía quedarse solo.

Se administraba tan cuidadosamente que su segundo sueldo podía ahorrarlo íntegro. Sus padres, ya jubilados, vivían solos en el pueblo, y su único hermano, ocho años mayor que él, era un sargento primero de la Guardia Civil destinado en Irún: Mario se creía en la obligación de traerse a sus padres a vivir con él a Jaén, y aunque les tenía mucho afecto, sobre todo a su madre, era consciente de que se hallaban muy cerca de las primeras dificultades de la vejez, y de que a la vuelta de unos pocos años su compañía iba a ser una esclavitud. Un día, contra toda costumbre, su padre lo llamó a la oficina, y le dijo no sin solemnidad que él y su madre iban a ingresar el mes siguiente en una residencia de la Seguridad Social en Linares.

A Mario le dio tanta alegría la noticia que se sintió un canalla. Dijo sinceramente, con una presión de lágrimas y de congoja en el pecho, que mientras él pudiera hacerse cargo de ellos eso no iba a suceder. Al ponerse en el teléfono, su madre estaba llorando: era lo mejor para todos, repetía, con las mismas palabras que su padre, así ninguno de los dos sería nunca una molestia. Ese fin de semana Mario condujo hasta el pueblo y llevó a sus padres a la residencia, que era un lugar amplio, melancólico y limpio, con capilla moderna y dormitorios como de hostal, con una sorprendente animación en la cafetería y en los salones sociales.

El domingo se le hizo de noche mientras conducía de vuelta hacia Jaén, oyendo tristemente en la radio los resultados deportivos, los anuncios de puritos y coñac. Pero lo que sentía era la tristeza liviana y en el fondo saludable de la libertad, y cuando entró esa noche en su piso le pareció que por primera vez le pertenecía íntegramente, igual que la vida futura, en la que ya no estaría atado por los vínculos de la primera juventud, sus padres y su novia, los recuerdos opresivos de Cabra de Santocristo, adonde seguramente ya no volvería, puesto que no quedaba allí nadie a quien visitar. Con una calmosa aprobación hacia sus propias decisiones prácticas examinó los muebles, todavía escasos, la cocina impoluta, la fila de tomos de la *Historia* de Menéndez Pidal, el dormitorio que iba a ser de matrimonio y en el que ahora sólo dormiría él, las pocas lámparas que ya tenía instaladas. Cenó sentado a la mesa de la cocina, sin permitirse ese maléfico abandono de los que comen siempre a solas y de cualquier manera. Lo recogió todo después de cenar y fregó y secó luego los platos, el vaso y el cubierto. Empezó a ver una película en la televisión y se quedó dormido en el sofá antes de que terminara. A medianoche lo despertó el teléfono. Sólo al comprobar que era una llamada errónea se dio cuenta de las ganas que había tenido de hablar con alguien aquella noche de domingo. Apagó la televisión, ordenó un poco el comedor, aunque no había casi nada fuera de lugar, se lavó los dientes, aclaró el cepillo y tapó con cuidado el tubo de dentífrico, eligió un pijama limpio en el armario que ahora era demasiado grande, entró con placer adelantado en las sábanas, que había cambiado el viernes por la tarde, antes de viajar a su pueblo. Apagó la luz, creyéndose todavía muerto de sueño, y al quedarse en la oscuridad comprendió que por algún motivo el sueño se había disipado. Volvió a encender la luz: se le había olvidado conectar el despertador, precaución que cumplía siempre, pero que era innecesaria, pues se despertaba automáticamente todas las mañanas hacia las siete y cuarto.

Unas semanas después, mientras hacía cola ante la ventanilla de un banco, aprovechando la media hora libre del desayuno, se encontró con Juli, y ninguno de los dos supo al principio qué decir, ella porque había enrojecido y estaba nerviosa, Mario porque en el curso de tan poco tiempo había perdido todo interés en ella. La vio menos joven de la edad que tenía, un poco antigua y vulgar, con su falda tableada y sus botas altas y marrones, llevando un archivador de plástico negro con el escudo en letras doradas de la autoescuela y gestoría Nuestra Señora de la Cabeza. Charlaron unos minutos, mientras le llegaba el turno a Mario en la ventanilla. Juli —de pronto su nombre parecía ridículo— le dijo que se había acordado mucho de él, que no quería que perdieran todo el contacto: podrían llamarse de vez en cuando, a charlar como viejos amigos. Mario se mostró de acuerdo, si bien tuvo la destreza de postergar hacia un futuro impreciso la cita que ella estaba proponiéndole. Fue un alivio salir del banco y no verla. Si Juli no hubiera roto con él ahora llevarían un mes casados. Qué raro, pensó mientras volvía a la oficina, he estado a punto de casarme con una desconocida, he sufrido por una mujer que en realidad no me gustaba, con la que pasé siete años sin llegar a saber nada de ella.

Ya no volvieron a verse. Era posible que ella se hubiera cambiado de ciudad, o que hubiera regresado al pueblo: solía decir que las capitales tan grandes y ruidosas como Jaén la agobiaban. Durante años a Mario le pareció que Juli se le había borrado de la vida y de la memoria sin dejar ni una huella, sin interferir en el destino que lo guiaba hacia Blanca. Sólo mucho más tarde, en la plenitud irrespirable de su desgracia, volvió a pensar en su primera novia y en el porvenir con ella que no había llegado a suceder, y temió que por un colosal malentendido, por una equivocación en las leyes del mundo, alguien le hubiera asignado una biografía que en realidad no era la suya, haciéndole casarse con una mujer obviamente adecuada para otro, tal vez no el pintor Naranjo ni el desalmado Onésimo, pero en cualquier caso otro, no él, Mario, sino otro más alto, más rubio, más culto, más viajero, más imaginativo, más parecido a ella, no un delineante de la Diputación Provincial de Jaén cuyas expectativas vitales se correspondían en realidad no con las de Blanca, por mucho que los dos quisieran intentarlo y creerlo, sino con las de la secretaria de una gestoría, con el tipo de mujer que encarnaba exactamente Juli, una mujer que nunca sufriría por no poder asistir a la Bienal de Venecia o a la *première* de *Madame Butterfly* en el Covent Garden de Londres, es más, que no sabría nada sobre arte moderno ni sobre ópera, ni sobre el Covent Garden, sin ser por eso imbécil, ni funcionaria mental, como decía Blanca tantas veces, como si en ser funcionario hubiera algo de deshonra...

En los peores días, en sus más negras diatribas contra sí mismo, en tantas noches de no dormir y de estar tendido en la oscuridad junto a la lejanía inviolable de Blanca, a Mario le dio por lacerarse con el pensamiento de que tendría que haberse casado con la otra, con Juli, que tendría que haber acudido a aquella cita que ella le propuso cuando se encontraron en el banco: se acusó de insensata soberbia, de vanidad masculina, de ambición, de haber aspirado a lo que no le correspondía, se imaginó abandonando fríamente a Blanca y yendo en busca de Juli, calculó que si no hubiera roto con ella ahora tendría ya uno o dos hijos, y en su delirio rencoroso se representaba tan vivamente aquella vida con otra que sin remedio se sentía desleal a Blanca. Entonces lo asustaba el peligro de no haberla conocido, y por un fervoroso mecanismo de compensación y consuelo se entregaba al recuerdo ilimitado de todas las cosas que había disfrutado gracias a ella y con ella, y comparaba aquellos años de entusiasmo y pasión con los trienios de estabilidad conyugal y paternal que habría ido cumpliendo en compañía de Juli, tan rutinariamente como cumplía trienios en la Diputación.

No era sólo que estuviese loco por Blanca, que le gustara más que cualquier otra de las mujeres que veía en la realidad, en las películas o en los anuncios, o que se le encendiese el deseo nada más que recordándola desnuda o rozándose con ella en la cocina, mientras fregaban los platos: era que en todos los años de su vida sólo había estado enamorado de ella, de modo que su idea del amor le resultaba inseparable de la existencia de Blanca, y como había probado el amor y ya no sabía estar sin él y no imaginaba que se lo pudieran ofrecer otras mujeres, no le quedaba otro remedio para seguir viviendo que vivir siempre junto a ella, en las condiciones que fuesen, comprendió casi al final, vencido, tal vez indigno, más enamorado que nunca: en las que Blanca, o la desconocida o la sombra que la suplantaba, le quisiera dictar.

De lo que más amargamente se acusaba a sí mismo era de falta de vigilancia y de astucia, de un exceso de confianza no en el amor ni en la lealtad de Blanca, a quien nunca reprocharía nada, sino en la naturaleza masculina, o en su abyecta versión representada por aquel individuo cuyo nombre Mario había escuchado y leído varias veces sin prestarle atención, sin darse cuenta de que el único y verdadero peligro procedía de él. ¿Vio por primera vez el nombre de Lluís Onésimo en alguno de los suplementos culturales que Blanca repasaba tan ávidamente los sábados por la mañana, durante el desayuno, lo escuchó en la televisión, en aquel programa, *Metrópolis,* en mitad del cual siempre se quedaba dormido, o fueron los labios sagrados de Blanca los que formaron sus sílabas por primera vez, con la misma generosidad reverente y del todo inmerecida con que repetían tantos nombres que en Mario sólo provocaban un eco de desconocimiento o de hostilidad, nombres de artistas, de escenógrafos, de coreógrafos, de literatos envanecidos y miserables a los que ella se acercaba después de sus conferencias, pidiéndoles con su voz cálida y rendida una dedicatoria, unos minutos de conversación, tipos llegados de Madrid con olor a tabaco y a whisky en el aliento y ojos que se iban invariablemente hacia el escote de Blanca o miraban huidizamente de soslayo mientras ella les ofrecía un libro para que le pusieran una firma, en la misma actitud que si les presentara su vida entera en una bandeja?

El rencor le afilaba la memoria: la primera vez que oyó el nombre de Lluís Onésimo fue un martes cualquiera de junio, un día semejante a todos los días dulces y monótonos de su perdida felicidad, y se acordaba incluso del primer plato que había preparado Blanca, una *vichyssoise,* y de que en el telediario habían puesto un reportaje sobre Frida Kahlo que a él le alarmó mucho, pues ignoraba aún que a Blanca, en uno de sus impetuosos vaivenes estéticos, de un día para otro había dejado de interesarle la pintura de Frida Kahlo, y que muy pronto, atraída fatalmente hacia la gravitación intelectual de Onésimo, abjuraría de lo que el desalmado artista multimedia y valenciano llamaba con desprecio «los soportes tradicionales»: había terminado la época de los formatos clásicos, del lienzo, del óleo, hasta del acrílico, la época del Pintor con mayúscula, elitista y excluyente, un residuo del siglo XIX, una parodia cuyo extremo patético ahora resultaba encarnar el obsoleto Jimmy N.

Estas cosas se las oyó Mario a Lluís Onésimo durante la primera comida que compartieron, el día en que Blanca los presentó, y aunque no entendía nada y le desagradaba mucho el aspecto y hasta el exagerado acento del artista, Mario recibió con una complacencia ruin la denostación de su ex rival Naranjo, y observó con ternura, con lástima, casi con remordimiento, que al escuchar esas palabras Blanca bajaba la cabeza y apretaba los labios, y no se atrevía a defender al hombre a quien hasta no mucho tiempo atrás había admirado tanto.

Con lucidez dolorosa, con la amargura retrospectiva de no haber adivinado a tiempo, Mario comprendió cuando ya era tarde que el desinterés súbito de Blanca por Frida Kahlo, que a él le había aliviado tanto, era el indicio de que acababa de contraer una nueva y desmesurada admiración: lo había aprendido todo sobre Onésimo en las revistas de arte y en el suplemento de *El País,* había leído las crónicas sobre lo que ella misma llamaba sus instalaciones y sus performances, había admirado con el mismo ímpetu de recién convertida sus declaraciones públicas, con frecuencia escandalosas, su cabeza afeitada, su barba siempre de tres días, sus ropas negras, el tatuaje oriental que tenía en el dorso de la mano derecha, sus anillos. Había pensado, con un sentimiento inaceptable de postergación e injusticia, que jamás le sería dado asistir en persona a una instalación o a una de las performances de Lluís Onésimo, había imaginado como un regalo imposible la maravilla de una conversación con él, muy larga, de una noche entera, con cigarrillos y copas, hablando de arte, de películas que en Jaén nadie conocía, de libros que en aquella ciudad no había leído nadie más que ella. Y de pronto un día, uno de aquellos días suavemente monótonos que a Mario le gustaban tanto, Blanca leyó en el periódico local que Lluís Onésimo preparaba una exposición y una conferencia en el aula de cultura de la Caja de Ahorros, y pudo hablar con él, y se ofreció para ayudarle en el montaje de sus obras, voluntariosa y entusiasta, arrobada, incontenible. Nada más verlos juntos, después de aguantar durante dos horas la palabrería de Onésimo y sus modales vomitivos con la comida —curioso que Blanca, tan exigente en todo, no pareciese reparar en ellos—, Mario López pensó con pavor y clarividencia que aquel individuo impresentable le iba a quitar a su mujer.

Capítulo 8

Qué vanidad haber dado por seguro el amor de Blanca, qué insensata ceguera haber creído alguna vez que ya no existía el peligro, que la vida común iba a durar serenamente siempre como dura el trabajo cuando se han aprobado unas oposiciones. Tal vez la acusación indirecta de Blanca era cierta: él, Mario, se había convertido en un funcionario mental, había pensado que casarse era como obtener una plaza en propiedad como ese puesto de delineante que él ocupaba en la Diputación y en el que poco a poco iba acumulando experiencia, rutina y trienios. Blanca nunca iba a buscarlo a la oficina, ni mostró interés en conocer a ninguno de sus compañeros. Mario había aprendido a contener la tentación de contarle historias menudas de las que le sucedían en el trabajo, contratiempos con los superiores o intrigas ínfimas del escalafón laboral.

Empezaba a contarle algo y enseguida advertía que Blanca estaba distraída, o peor aún, que asentía y sonreía sin hacerle mucho caso, y entonces tenía miedo de parecerle aburrido o vulgar, y buscaba otra conversación, o le preguntaba a ella qué había hecho en toda la mañana, a quién había visto.

Pero Blanca nunca daba explicaciones muy precisas sobre su vida real, y en casi todo lo que le decía sobre sí misma y sus sentimientos y deseos, en las cosas que le contaba sobre su pasado, había una parte de bruma, zonas de misterio que ella no disipaba, y sobre las que Mario no siempre se atrevía a preguntar.

Había sido así desde el principio, desde las primeras citas, y Mario no ignoraba que la incertidumbre que rodeaba la vida y los actos de Blanca fue un aliciente tan poderoso como el deseo físico en la rápida cristalización de su amor. Según la deseaba más deseaba también saber más cosas sobre ella, pero ni una forma del deseo ni la otra se le satisfacían nunca plenamente, y eso las volvía aún más perentorias para él, que por primera vez en su vida, a una edad tardía y sin experiencia, estaba descubriendo la hipnosis y los trastornos del amor.

Iba a buscarla y no la encontraba, se rendía a las tantas después de rondar la casa de Blanca y cuando regresaba desoladamente a la suya la veía de pronto esperándole a él en el portal. No sabía qué era lo que la empujaba a buscarle y no llegaba a entender por qué otras veces ella le rehuía. Cayó enferma de depresión y de anemia, del desarreglo espantoso de su vida diaria, y Mario, amigo servicial todavía, enamorado secreto, la estuvo cuidando, le ayudó a resolver, con su destreza administrativa, el desastre de sus papeles con la Seguridad Social, logró que volvieran a conectarle el suministro de electricidad, que un día le cortaron por falta de pago, aunque no sin previo aviso, como alegaba ella: entre un montón de papeles y periódicos viejos, en el que tampoco faltaba alguna prenda íntima sucia, Mario encontró sin abrir las cartas de apremio de la compañía eléctrica.

Poco a poco, casi cautelosamente, se volvió imprescindible para ella. Cuando estuvo más enferma, tan abatida o tan débil que apenas se levantaba de la cama, Mario pidió en el trabajo tres días de licencia por asuntos propios, y los dedicó enteros a cuidarla y a limpiarle la casa, tarea esta aún más agotadora de lo que había previsto, pero que le dejó, al terminarla, un sentimiento muy grato de satisfacción personal, aunque no estaba seguro de que Blanca advirtiera todo el esfuerzo que había hecho. Compró detergentes, lavavajillas, limpiacristales, abrillantadores, desinfectantes, mopas, recambios de fregona, estropajos, paños de cocina: volvió una tarde con el coche cargado de la sección de Cocina y Hogar del Pryca. Comprendía que Blanca se había criado rodeada de servicio doméstico, educada para suponer que otras personas se encargaban de los trabajos de la casa, e imaginaba, además, no sin rencor de hombre celoso, que Naranjo había sido un guarro incorregible, lo mismo en su aseo personal que en sus costumbres de pintor.

Es probable que cuando se conocieron Blanca no hubiera hecho una comida regular en varios meses, «como Dios manda», decía Mario, repitiendo una expresión de su madre, con quien hablaba dos o tres veces a la semana por teléfono, escuchándole una voz cada vez más de anciana, que parecía sonar desde más lejos, y le ahogaba de culpabilidad y de ternura. Eran los platos de su madre los que Mario había aprendido mejor a cocinar, y los que empezó a hacer para Blanca, encontrando en eso una complacencia de hombre aplicado y mañoso que casi se convertía en íntima euforia cuando ella, tan desganada al principio, se tomaba con ganas un plato de lentejas o de arroz con pollo y le decía que nunca había probado nada tan sabroso.

Se acostumbró a vivir para ella, a adaptar sus horarios a las necesidades y a los súbitos antojos o arrebatos de Blanca. Disfrutaba de una especie de felicidad furtiva y medio clandestina, sustentada sobre la sola presencia de Blanca, trastornada continuamente por accesos de abatimiento o de miedo. Sonaba el teléfono y temía que la llamada fuera de Naranjo, llamaban a la puerta y cuando iba a abrir (algunas veces secándose las manos en su mandil de cocinero) pensaba que vería por primera vez frente a frente la cara odiada del pintor, y que su llegada lo expulsaría a él de aquella situación tan frágil y equívoca a la que se había habituado, más que un amigo pero no un amante, como una figura asistencial hacia la que temía que el único sentimiento de Blanca fuese la gratitud: a veces ella lo miraba y parecía que no lo viera bien, o que estuviera viendo a otro.

Se avergonzaba de desearla tanto, de espiarla con codicia instintiva, y había negligencias de ella que lo sumían en tormentos secretos de lujuria tan sofocantes como los de su tenebrosa adolescencia rural: Blanca salía de la ducha y no había cerrado la puerta del baño, y él la veía desnuda y blanca entre el vapor, alta, a la vez delgada y carnal, tan distinguida y excitante, imaginaba él, como esas modelos de las revistas, tan distinta de Juli, de cuyo cuerpo pequeño y compacto le quedaba ya un recuerdo muy vago. Le llevaba por la mañana un vaso de zumo de naranja a la cama y cuando ella se incorporaba todavía medio dormida, la cara un poco deliciosamente hinchada por el sueño, por sus primeras noches de sueño sólido y hondo en mucho tiempo, la sábana se le deslizaba de los hombros y dejaba al descubierto sus pechos redondos y pequeños, que él llegaba a vislumbrar apenas un segundo, porque un acceso de pudor le hacía apartar los ojos, y porque Blanca volvía a taparse con la misma naturalidad con que apuraba el zumo y se deslizaba de regreso hacia el sueño.

Cuanto más fuerte era su deseo y más obsesivo su amor él se quedaba más parado, se volvía más tímido delante de ella, más torpe, más servicial también, queriendo compensar con la eficacia de su ayuda práctica la falta de atractivo que veía en sí mismo, la poca altura de todo lo que él pensaba que era y tenía en comparación con las expectativas, con los méritos de Blanca. Alguna vez le pareció que ella advertía su deseo y su angustia, y que los contemplaba con menos halago que compasión o desapego. Una noche, cuando él ya se marchaba, después de que se quedaran charlando hasta muy tarde, tomando gin-tonics —ahora ella sólo se permitía uno de vez en cuando, y le pedía a Mario que le administrara la ginebra—, Blanca le pidió que se quedara un poco más, y él se estremeció de ilusión y de pánico, imaginando que tal vez esa noche iba a suceder por fin lo que no llegaba nunca. Después de un instante de incertidumbre se sentó junto a ella, en el sofá, y no enfrente, como había estado hasta entonces, y esa modesta audacia le dio casi un sentimiento de vértigo.

—Nunca podré agradecerte todo lo que estás haciendo por mí —dijo Blanca, con una sonrisa seria, con un aire de confianza íntima que él no sabía si lamentar, porque sospechaba que era la confianza tibia de quien no está enamorado—. Nunca podré compensarte.

—Pero si ya me has compensado —inesperadamente Mario se dejó llevar por un arrebato de elocuencia—: Si nadie ha podido darme tanto como tú, si me has hecho que descubriera la vida, como si hubiera estado dormido hasta ahora y me hubieras despertado tú. ¿Qué hacía yo cuando te conocí? Trabajar y pagar plazos de cosas y leer todas las noches la *Historia de España.* Estaba como dormido y no lo sabía, si no llega a ser por ti me hago viejo y no me despierto nunca.

—Yo muchas veces, cuando voy a dormirme por la noche, pienso que ojalá no volviera a despertarme.

—Creía que en los últimos tiempos habías empezado a encontrarte mejor —de pronto Mario desfallecía de tristeza al pensar que todos sus esfuerzos por cuidar a Blanca habían sido estériles, que él ni siquiera había logrado amortiguar la desesperación y el desastre que le espantaron en ella la noche que se conocieron: quizá seguía echando de menos a Naranjo, hasta era posible que intentara hablar con él por teléfono cuando Mario no estaba, cuando se iba por la noche de vuelta a su casa después de fregar los platos de la cena, como un sirviente eunuco.

Sentado tan cerca de ella en el sofá, exaltado por los dos gin-tonics que se había bebido, pensó que en vez de hacer tanto caso de sus palabras debería abrazarla y besarla, besarla de verdad, en la boca, no con los dos besos protocolarios y cobardes que le daba siempre. Pero no lo hizo, y se marchó igual que siempre, cada noche con un grado más de abatimiento y disgusto de sí mismo.

De vuelta a su casa no pudo dormir. No durmió nada, en toda la noche, no tuvo ni un segundo de sosiego ni en la oscuridad ni encendiendo la luz. Se masturbó ansiosamente y sin ningún placer queriendo concentrarse en el recuerdo de la desnudez entrevista de Blanca y al final se sintió tan avergonzado como en su adolescencia. Lo espantaba la realidad de un sufrimiento del que no tenía ninguna experiencia y contra el que no era capaz de defenderse. ¿Por qué se empeñaba en seguir viendo a Blanca, por qué imaginaba que estar con ella era la única forma posible no ya de felicidad, sino de simple sosiego, si en realidad cuando la tenía cerca se encontraba en un estado permanente de inseguridad y de angustia, de remordimiento por no atreverse a hacer y a decir lo que deseaba, o por haber hecho o dicho algo que tal vez a ella le parecería disparatado o vulgar?

Sería mejor no volver a verla. A las ocho de la mañana, con una sensación engañosa de ligereza y lucidez provocada por la falta de sueño, Mario llegó antes que nadie a la oficina y se instaló junto a su tablero de dibujo dispuesto a recobrar la sensatez y a dedicar todas las energías de su voluntad, que eran muchas, a olvidarse de Blanca, a desintoxicarse de ella, se dijo, usando una palabra que hasta hacía muy poco tiempo no formaba parte de su vocabulario, y que le hacía acordarse desagradablemente de la cocaína y del farsante y botarate Naranjo (acumulaba adjetivos contra él como si fueran armas arrojadizas o conjuros contra su regreso a la vida de Blanca).

Aguantó cuatro días enteros sin llamarla: años después, en sus horas más negras de celos y capitulación, recapacitaría con cierto asombro, con una punta de cinismo, que en realidad no le había costado tanto apartarse de ella, que tal vez entonces aún no la quería tanto como él mismo pensaba. De hecho, no fue él quien buscó un nuevo encuentro. Una mañana, a las diez en punto, cuando volvía de tomar el café, un compañero vino hacia él por el pasillo que daba a su oficina y le dijo, haciéndole un guiño que Mario tardó en entender:

—Qué morro, López, hacer esperar tanto a las mujeres.

Empujó la puerta y Blanca estaba de pie junto a su tablero de dibujo, y al verle se le acercó como nunca hasta entonces, como si ya fueran amantes, fue hacia él y le sostuvo la cara para que él no le diera dos besos en las mejillas y lo besó en los labios, y a Mario el sabor de su boca le pareció aún más delicioso por el orgullo que sentía al ser besado así delante de sus compañeros de oficina.

Capítulo 9

Ahora la mujer que no era Blanca venía por el pasillo hacia él con la camisa verde de seda y los vaqueros ceñidos de Blanca, caminando con un ritmo que no era exactamente el de los pasos de Blanca, aunque llevase sus zapatos de tacón, o unos zapatos de tacón idénticos, bajos, que revelaban la forma delicada de su empeine. Ahora Mario oía sus pasos por la casa y sentía que resonaban de otro modo, en un silencio más denso que los peores silencios de Blanca, los más dolorosos, los que ni toda la ternura ni la entrega de Mario lograron nunca penetrar. Pero ahora era otro silencio, se había acostumbrado a distinguirlo con la misma finura de la inteligencia y de los sentidos que le permitía saber que la mujer que estaba a su lado y se vestía y hablaba como Blanca no era ella, por muy perfectamente que intentara fingirlo, que Blanca lo había abandonado, tal como él siempre temió que ocurriera.

No estaba loco: pero no tener nadie a quien decirle que albergaba graves sospechas de que la mujer que vivía con él ya no era Blanca lo sumía en una insalubre soledad de poseedor de un secreto inconfesable. Cualquier amigo encontraría disparatadas sus sospechas: pero también se daba cuenta ahora de que en los años que llevaba con Blanca había perdido a sus amigos, que a Blanca le parecían habitualmente pesados o vulgares, y a los que él, con sumisión cobarde, no había tenido el coraje de conservar, igual que no había conservado ni sus costumbres ni sus gustos personales, todo por fingirse quien no era, por estar a la altura de una mujer que no podía quererlo, aunque lo hubiese intentado con cierta convicción alguna vez. Unos días antes de que se marchara, cuando Mario lo veía todo tan claro y tan irreparable como si ya hubiera sucedido, fue a buscarla a la Caja de Ahorros y afectó un aire de naturalidad para preguntarle a Blanca qué encontraba en Onésimo, aquel obvio farsante que sin la menor duda había detectado en ella una presa infalible, y que llamaba obras de arte a unos montones de ladrillos y amasijos de cables esparcidos, bajo su tiránica dirección, en la sala de exposiciones, y acompañados por letreros en valenciano y en inglés:

—Pobrecito mío, no puedo exigirte que tú lo entiendas —dijo Blanca, de pie frente a Mario, y le hizo una caricia rápida que sin duda era de condescendencia o de piedad, pero que a él lo embargó de ternura—. Estar con Lluís es como asomarse junto a Laurence Olivier al acantilado de *Rebeca*... Tú eres como mi casa. Contigo estoy siempre como en el banco de un parque, igual que los novios antiguos. Ésa es la diferencia.

En los buenos tiempos ella le había agradecido la templanza de su carácter, la serena estabilidad de la que ella carecía y que de tanta ayuda le había sido para salir del pozo en el que se encontraba cuando se conocieron. «Tú me mantienes firme —le había dicho—, tú eres mi cimiento en la tierra».

Ahora esa tranquilidad, esa fortaleza que ella antes tanto valoraba, se habían vuelto contra él: ya no quería la casa que él le había entregado, ni la vida en paz que él había urdido para ella, para defenderla, según ella misma decía, de lo peor de su alma. Ahora volvía a las comparaciones con películas y a las citas literarias, quería asomarse al abismo, como si supiera lo que quería decir de verdad esa palabra, como si no hubiera contado siempre con la protección última del dinero de su familia, con la solidez de su clase.

De pie frente a Blanca y en la sala de exposiciones —Onésimo le había dado la gran alegría de su vida eligiéndola como vigilante, si bien él mismo aseguraba que la frontera entre el arte y la vida estaba rota, que en sus instalaciones no había distancia entre el vigilante y el artista, entre el guía y el público—, Mario comprendió que lo tenía todo perdido, aunque en ese momento no recordara la película de la que le había hablado Blanca, que por su nombre debía de ser una de aquellas películas en blanco y negro y subtituladas que ponían a deshoras en la televisión: tantas veces, cuando él le decía que fueran a acostarse, Blanca contestaba que no, que quería ver alguna película japonesa o francesa con subtítulos, y él se iba a la cama y calculaba en la oscuridad los días que llevaban sin acostarse al mismo tiempo, y se quedaba dormido oyendo como desde muy lejos, al otro lado del tabique de escayola que separaba el dormitorio del salón, la música de la película que ella estaría viendo con un fervor que no solía casi nunca dedicar a las cosas reales, las palabras dichas en un idioma que él no comprendía y en el que ella era capaz de repetir largas citas delante de sus amigos.

Sobrevivía a trances sucesivos de fatalismo y voluntad, de coraje inventado y desolación irremediable. Ahora, muchos días, cuando llegaba a casa a las tres y cinco o tres y diez, Blanca no estaba esperándolo, porque según ella la retenían en la sala de exposiciones los compromisos de su trabajo, que no eran sólo, recalcaba, con palabras prestadas de Onésimo, los de una vigilancia pasiva, una mera delegación represora del ojo de la autoridad. Pero lo cierto era que si no iba a llegar a casa a tiempo de comer le dejaba a Mario una nota de disculpa, escrita con aquella caligrafía de colegio privado que a él le gustaba tanto, y se preocupaba de dejarle también alguna comida que él sólo debía calentar. En esos momentos la culpabilidad de Mario atenuaba o deshacía el miedo, y ya se quedaba toda la tarde esperando a Blanca, o se armaba de valor e iba a buscarla al centro cultural de la Caja de Ahorros, venciendo no sólo la repugnancia de encontrarse con Onésimo, sino también algo que con mucha dificultad se confesaba a sí mismo, un sentimiento lacerante de vergüenza ajena provocado por la pedantería con la que escuchaba hablar a Blanca, por el modo en que la oía usar expresiones en francés o en inglés que Onésimo había usado antes, o repetido en alguna entrevista.

Era otra Blanca y sólo él, su marido, se daba cuenta de su simulación, de su exceso de nerviosismo, del rubor imperceptible que se le subía a la cara cuando la halagaba Onésimo. Un día pensó, mirándola en silencio desde el otro lado de una mesa presidida por el artista valenciano, llena de gente que fumaba y hablaba muy alto: «Si me quisieras yo nunca te dejaría perder la dignidad».

Capítulo 10

Era al final de todo, recordó luego Mario, cuando quiso fijar en su conciencia todos los detalles, perseguir cada signo mínimo y tangible de la huida de Blanca, de la aparición en su casa de la desconocida. Era la comida de clausura de la exposición o la instalación o comoquiera que se llamase lo que había mantenido durante un mes los salones culturales de la Caja de Ahorros como si estuvieran en obras, y asistían a ella algunos artistas, literatos y periodistas locales, así como el jefe de la Obra Cultural de la Caja, quien tal vez por representar a la institución que subvencionaba el convite se sintió autorizado a pedir una langosta monstruosa, de la que no obstante dio cuenta casi a la misma velocidad y con los mismos ruidos que Lluís Onésimo de la suya.

Solo y callado, sentado frente a Blanca, que bebía mucho más vino del que debiera y prestaba una atención devota a las palabras de Onésimo, pero no a los ruidos de su masticación, Mario contuvo las ganas de llorar o de irse diciéndose que le quedaba intacta su dignidad, o al menos su paciencia, y que al día siguiente, cuando Onésimo se hubiera marchado, podría emprender de nuevo la tarea tan habitual y tan querida de reconquistar a Blanca con la simple fuerza incondicional de su amor. Pero también se daba cuenta, con un instinto confuso de melancolía, de que era posible que ya no tuviera las energías necesarias para seguir queriéndola, para seguir aguantando comidas como aquélla, escuchando términos intelectuales que no comprendía y nombres de platos y de marcas de vinos que ya le provocaban una furiosa y secreta hostilidad en la que le costaba mucho no incluir también a Blanca.

Al día siguiente, por culpa de un malentendido muy desagradable que le hizo perder casi una hora en la oficina de Personal, volvió a casa cerca de las tres y media, irritado todavía, ansioso, temiendo que Blanca lo estuviese esperando con la mesa puesta. Abrió la puerta y en el pasillo no escuchó los pasos de Blanca, ni tampoco la música del televisor, y cuando llegó al salón recibió como un golpe en la nuca la evidencia de que ella no estaba, ni le había dejado la comida hecha, ni se había molestado siquiera, tal como hacía siempre, en poner el mantel. En la salita de su piso de protección oficial, entre sus muebles habituales, frente al televisor apagado donde se reflejaba su propia figura, Mario López sintió que el mundo se estaba acabando para él, y aquel cataclismo definitivo y silencioso, que había imaginado y previsto tantas veces, tenía sin embargo la fuerza horrible de una novedad absoluta: haber sido abandonado por Blanca era quedarse mirando como un idiota aquel pañito de ganchillo que ella detestaba, y escuchar sin motivo los pasos o la voz de alguien en el piso de arriba, y sentir que todas esas cosas juntas constituían la suma abrumadora de su desgracia.

En el armario empotrado del dormitorio comprobó que faltaba alguna ropa de Blanca, así como su bolsa negra de viaje. Quiso pensar que había tenido que salir por algún motivo urgente, la enfermedad súbita de su madre, la convocatoria para una entrevista de cara a alguno de aquellos trabajos que estaba siempre solicitando y dejando.

Mario fue a la cocina y se abrió una cerveza. Mientras cortaba una loncha de mortadela notó que se inclinaba más de lo normal sobre el filo de la mesa, y un instante después era fulminado por el llanto. Vivir no el resto de su vida, ni siquiera aquella tarde entera, sino tan sólo los próximos cinco o diez minutos, le pareció una proeza imposible. Se sobrepuso: fue al estudio, buscando rastros de la huida. La pequeña radio donde Blanca se pasaba tardes enteras escuchando música clásica no estaba en su lugar de la estantería. En un rapto de furia que le produjo un alivio fugaz, un sentimiento pueril de revancha, Mario arrancó de la pared el póster que anunciaba la exposición de Lluís Onésimo. Una hoja de bloc arrugada en la papelera le provocó un vuelco en el corazón. Al desdoblarla vio que Blanca había escrito «Querido Mario», pero no había continuado, tal vez, pensaba él ahora, por miedo a distraerse demasiado y a que él la sorprendiera en el momento de la huida.

Tuvo el coraje de llamar a la sala de exposiciones de la Caja de Ahorros y preguntar por Onésimo. El conserje, que conocía a Mario, le dijo que Onésimo se había marchado a Madrid en el Talgo de las dos y media, el mismo Talgo odioso que Blanca estaba queriendo tomar siempre, el que la conectaba con las exposiciones del Reina Sofía y las mesas redondas de la Residencia de Estudiantes, con las películas francesas de los Alphaville, justo con todas las cosas que despertaban su entusiasmo y que excluían a Mario.

Colgó el teléfono sin haberse atrevido a preguntarle al conserje si había visto por casualidad a Blanca. Después se tumbó en el sofá aplastando la cara contra la tela de un cojín y estuvo llorando y buscó a tientas un paquete de kleenex para limpiarse los mocos y notó vagamente que cambiaba la luz, que estaba haciéndose de noche.

Se despertó en la oscuridad al oír una llave en la puerta y ver que se encendía la luz del pasillo. La mujer de la que él aún no sabía que no era Blanca vino hacia el comedor con unos pasos tan parecidos a los de ella que al principio Mario los tomó por auténticos: pero también, en la luz escasa del comedor, le pareció idéntico su pelo, la forma de su cara, la sonrisa breve y rosada de sus labios carnosos, en los que perduraba, para delicia de Mario, como un rastro de hinchazón infantil. Vino hacia él con aire de cansancio, aunque sonriéndole, como si nada hubiera ocurrido, le preguntó con cierto aire de burla qué estaba haciendo en la oscuridad, y él tardó en reaccionar, en parte porque el llanto y el sueño habían actuado como anestésicos sobre su conciencia. Se levantó y la abrazó, y al estrechar contra sí su cuerpo tan largo y elástico (era más alta que él, incluso con los zapatos bajos) los ojos volvieron a llenársele de lágrimas y pensó, con absoluta emoción, con involuntaria literatura, que se lo perdonaba todo, que no pensaba hacerle ninguna pregunta ni reprocharle nada.

Entonces observó de soslayo el primer indicio: no estaba seguro de que la bolsa que había traído Blanca fuese la misma que faltaba del armario. Pero no es fácil distinguir una bolsa de viaje de otra, todo el mundo las confunde en las cintas transportadoras de los aeropuertos. Blanca lo besó en la boca inclinándose un poco sobre él, pero al hacerlo separó los labios un milímetro más de lo habitual, y Mario notó, o recordó luego que había notado, que en su aliento no había rastros de nicotina ni de vino tinto, y que su pelo no olía exactamente igual.

Pero no siempre podía permanecer en guardia, al acecho, estudiando a la mujer que gradualmente no era Blanca, que se volvía más extraña en la misma medida en que lograba una exactitud más perfecta, mientras que la otra Blanca, la verdadera, la suya, estaría viviendo en Madrid o en Valencia la vida que siempre había querido, la que Mario, según ella, le impedía alcanzar.

Se abandonaba, comprendía que iba dejándose llevar, que la inercia de acomodación que había en su carácter y que Blanca nunca había aceptado lo empujaba con suavidad, casi con dulzura, a aceptar la presencia de la impostora. Fregaba los platos en la cocina, después de cenar, y la oía acercarse por el pasillo con aquella manera de caminar idéntica a la de Blanca, y cuando los pasos cesaban él no se volvía ni levantaba la mirada del fregadero y sabía que la mujer que no era Blanca estaba parada en el umbral, a punto de apoyarse en el dintel con un gesto de pereza o desahogada camaradería que la verdadera Blanca nunca habría mostrado.

Se la quedaba mirando a los ojos antes de besarla y ella se echaba a reír y le decía que no la mirara así, que le daba miedo la fuerza de los ojos de Mario, y eso constituía otra prueba indudable de la impostura, porque Blanca, su mujer, la que él había querido, la que seguramente lo había dejado por otro, jamás había dado pruebas de que la impresionaran sus ojos.

Quiso ponerle trampas: llamaba desde la oficina, y cuando oía su voz se quedaba callado, tratando de descubrir una inflexión o un acento que no pertenecieran a Blanca. La radio había vuelto a estar sobre una de las repisas de la librería, en la habitación que Blanca ya no llamaba el estudio, pero Mario habría jurado que tampoco la radio, aunque muy parecida, era la misma, y se desesperaba por su falta retrospectiva de atención, por el atolondramiento de enamorado y de pueblerino en que había vivido. En cualquier caso, Blanca apenas escuchaba ahora música clásica, y jamás se encerraba con llave en el estudio.

Y sin embargo, a pesar de su espionaje y de sus raptos de obsesión, Mario, sin darse mucha cuenta, estaba dejando de ser desdichado, y hubo una noche en la que aceptó que Blanca no volvería y que a él ya no le importaba vivir con aquella otra mujer que se le parecía tanto. Estaba tendido en su dormitorio, leyendo un rato, o intentándolo, porque su vigilancia no se interrumpía nunca, y entonces se abrió la puerta y la mujer que no era Blanca vino hacia él, cerró despacio al entrar, se tendió a su lado mirándolo con los ojos que no eran los de Blanca, y a diferencia de Blanca no le pidió que apagara la luz: pudo ver a su gusto todos los detalles del cuerpo desnudo de Blanca, los que conocía de memoria y los que lo sorprendían o lo desconcertaban, no sabía si porque fuesen de otra mujer o porque él nunca hubiese reparado en ellos.

Entonces, volviéndose de costado para abrazarla mejor, tan cerca que respiraba su aliento y veía en sus pupilas su propia cara masculina y ansiosa, cerró los ojos y apretó con fuerza los párpados, temiendo que si los abría un espejismo iba a deshacerse, porque ahora estaba seguro, con los ojos cerrados, húmedos de lágrimas, de que aquella mujer que lo estrechaba no era Blanca: Blanca nunca habría respirado ni gemido así, Blanca, la otra, la verdadera, la casi idéntica, la que ya no le importaba haber perdido, la que no iba a encontrar si abría los ojos, nunca se había echado a reír en sus brazos ni murmurado en su oído las palabras de desvergüenza y dulzura que la desconocida le decía.